af;

D0585526

Anna Gavalda

Pluk de dag

Vertaald door Mario Molegraaf

2010 Prometheus Amsterdam

Eerste druk mei 2010
Tweede druk juni 2010

Vertaald werd naar Anna Gavalda, *L'Échappée belle*, Le Dilettante, Parijs, 2009. Een eerdere versie van het werk, door de auteur opgedragen aan haar broers Edmond en Virgile, en aan
haar zus Marianne, werd in 2002 uitgegeven door Éditions
France Loisirs.

© 2009 Le Dilettante
© 2010 Nederlandse vertaling Uitgeverij Prometheus en Mario
Molegraaf
Omslagontwerp Janine Jansen
Foto omslag Irene Lamprakou / Getty Images
Foto auteur Le Dilettante
Zetwerk Mat-Zet bv, Soest
www.uitgeverijprometheus.nl
ISBN 978 90 446 1618 7

Pluk de dag

Anna Gavalda

Pluk de dag

Vertaald door Mario Molegraaf

2010 Prometheus Amsterdam

Eerste druk mei 2010
Tweede druk juni 2010

Vertaald werd naar Anna Gavalda, *L'Échappée belle*, Le Dilettante, Parijs, 2009. Een eerdere versie van het werk, door de auteur opgedragen aan haar broers Edmond en Virgile, en aan
haar zus Marianne, werd in 2002 uitgegeven door Éditions
France Loisirs.

© 2009 Le Dilettante
© 2010 Nederlandse vertaling Uitgeverij Prometheus en Mario
Molegraaf
Omslagontwerp Janine Jansen
Foto omslag Irene Lamprakou / Getty Images
Foto auteur Le Dilettante
Zetwerk Mat-Zet bv, Soest
www.uitgeverijprometheus.nl
ISBN 978 90 446 1618 7

Ik zat nog niet, één bil in de lucht en de hand op het portier, of mijn schoonzuster viel me al aan: 'Eindelijk… Heb je ons niet horen toeteren? We staan er al tien minuten!'

'Hallo,' is mijn reactie.

Mijn broer had zich omgedraaid. Een knipoogje.

'Hoe gaat het, schatje?'

'Goed.'

'Wil je dat ik je spullen in de kofferbak leg?'

'Nee, dank je. Ik heb alleen dit tasje en verder mijn jurk… Ik leg ze wel op de hoedenplank.'

'Dat is je jurk?' fronst ze als ze de tot een bol opgerolde lap op mijn schoot ziet.

'Ja.'

'Wat… wat is dat?'

'Een sari.'

'Ik zie het…'

'Nee, je ziet het niet,' liet ik haar vriendelijk weten, 'je ziet het pas wanneer ik hem aan doe.'

Grijnsje.

'Kunnen we gaan?' begint mijn broer.

'Ja. Nou ja, nee… Kun je even stoppen bij de Arabier aan het eind van de straat, ik moet nog iets regelen…'

Mijn schoonzuster zucht.

'Wat heb je nog niet?'

'Ontharingscrème.'

'En dat koop je bij de Arabier?'

'O, maar ik koop alles bij m'n Rachid, hoor! Echt alles!'

Ze gelooft me niet.

'Alles in orde daar? Kunnen we gaan?'

'Ja.'

'Je doet je gordel niet om?'

'Nee.'

'Waarom doe je je gordel niet om?'

'Claustrofobie,' zeg ik.

En voor zij haar riedel over orgaantransplantatie en de afdeling traumatologie kan beginnen, vervolg ik: 'En nu ga ik even slapen. Ik ben kapot.'

Mijn broer glimlacht.

'Ben je net op?'

'Ik ben niet gaan slapen,' leg ik uit met een geeuw.

Natuurlijk is dat niet zo. Ik heb een paar uur geslapen. Maar ik wil mijn schoonzus zenuwachtig maken. Wat trouwens altijd raak is. En dat bevalt me zo aan haar: het is altijd raak.

'Waar was je dan?' moppert ze, haar ogen ten hemel geheven.

'Thuis.'

'Had je een feestje?'

'Nee, ik heb gekaart.'

'Gekaart?!'

'Ja. Poker.'

Ze schudt het hoofd. Niet te hard. Vanwege het föhnen.

'Hoeveel heb je verloren?' glundert mijn broer.

'Niets. Deze keer heb ik gewonnen.'

Oorverdovende stilte.

'Mogen we ook weten hoeveel?' barst ze bijna en ze zet haar Persol recht.

'Drieduizend.'

'Drieduizend! Drieduizend wat?'

'Euro natuurlijk,' doe ik argeloos, 'we gaan toch niet moeilijk doen met roebels…'

Ik grinnikte terwijl ik me oprolde. Ik had haar voor de rest van de reis wel stof tot nadenken gegeven, m'n kleine Carine…

Ik hoorde de radertjes van haar hersenen in beweging komen: Drieduizend euro… tikketikketikketik… Hoeveel shampoo en aspirientjes moest zij wel niet verkopen om drieduizend euro te verdienen?… tikketikketikketik… Plus de lasten, de beroepsbelasting, de gemeentebelasting, en de huur, en minus de btw… Hoeveel keer moest zij haar witte jas aandoen om drieduizend euro *netto* te verdienen? En de premies volksverzekering… Acht opschrijven en twee onthouden… En de doorbetaalde vakantie… dat maakt tien maal drie… tikketikketikketik…

Ja, ik grinnikte. Gewiegd door het snorren van hun auto, m'n neus verstopt in de holte van mijn armen en m'n benen onder mijn kin gevouwen. Ik was nogal tevreden over mezelf, want mijn schoonzuster dat is me er eentje.

Mijn schoonzuster Carine heeft farmacie gedaan, maar ze heeft liever dat je *medicijnen* zegt, ze is dus farmaceute maar heeft liever dat je *farmaceut* zegt, ze heeft dus een farmacie maar heeft liever dat je *officina* zegt.

Ze klaagt graag over haar boekhouding bij het toetje en draagt een chirurgenjas met knoopjes tot de kin, er zit een zelfklevend kaartje op waarop haar naam tussen twee blauwe esculapen staat geschreven. Ze verkoopt tegenwoordig vooral verstevigende crèmes voor de billen en capsules met caroteen omdat dat meer oplevert, maar zegt liever dat ze haar *paramedisch assortiment* heeft *geoptimaliseerd*.

Mijn schoonzuster Carine is nogal voorspelbaar.

Toen we hoorden van het buitenkansje dat de familie er een leverancier van antirimpels bij kreeg, een depothouder van Clinique, een wederverkoper van Guerlain, zijn mijn zuster Lola en ik haar als jonge hondjes om de hals gevallen. O! Wat een feest hadden we haar die dag bezorgd! We hadden haar beloofd voortaan altijd onze boodschappen bij haar te doen en we waren zelfs bereid haar het 'dokter' of 'professor Lariot-Molinoux' te gunnen om bij haar in de smaak te vallen.

We waren bereid de RER te nemen om haar op te zoeken! En dat is nogal wat voor Lola en mij om de RER naar Poissy te nemen.

Voorbij de Maarschalkboulevards is het voor ons al een kwelling…

Maar we hoefden er niet heen omdat ze ons aan het eind van die eerste zondagse lunch bij de arm nam en ons met neergeslagen ogen toevertrouwde: 'Jullie begrijpen… eh… Ik kan jullie geen korting geven omdat… eh… Als ik daarmee begin, dan… nou ja, jullie snappen het wel, dan… dan is het hek toch van de dam?' 'Zelfs geen kleinigheidje?' had Lola lachend gereageerd. 'Zelfs geen monsters?' 'O ja…' had ze met een zucht van opluchting gereageerd, 'ja, monsters wel, ja. Geen probleem.'

En toen ze vertrok, ze hield de hand van onze broer stevig vast zodat hij niet weg zou vliegen, mompelde Lola terwijl ze hun vanaf het balkon kussen toezond: 'Nou, die monsters, die kan ze in haar je weet wel steken…'

Ik was het helemaal met haar eens, we hebben het tafelkleed uitgeschud en zijn over iets anders begonnen.

Tegenwoordig vinden we het leuk haar hiermee op stang te jagen. Elke keer dat we haar zien, heb ik het met haar over mijn vriendin Sandrine die stewardess is, en over de kortingen die ze ons kan bieden dankzij *duty free*.

Bijvoorbeeld: 'Hé, Carine… Noem eens een prijs voor de Double Peeling met Stikstofopwekking op basis van vitamine B12 van Estée Lauder.'

Vervolgens denkt onze Carine diep na. Ze concentreert zich, sluit de ogen, denkt aan haar uitdraai, berekent haar marge, trekt er de belasting vanaf en laat zich uiteindelijk ontvallen: 'Vijfenveertig?'

Ik draai me naar Lola toe: 'Weet je nog hoeveel jij hebt betaald?'

'Hum… sorry. Waar heb je het over?'

'Je Double Peeling met Stikstofopwekking op basis van vitamine B12 van Estée Lauder die Sandrine laatst voor je heeft meegebracht?'

'Ja, en?'

'Hoeveel heb je haar betaald?'

'O… Wat een vraag… Iets in de twintig euro, geloof ik…'

Carine herhaalt stokkend: 'Twintig euro! De DPS op basis van vitamine B12 van Lauder? Weet je dat zeker?'

'Ik geloof het wel…'

'Nee, maar voor die prijs moet het namaak zijn! Sorry, maar jullie hebben je laten beetnemen… Ze hebben voor jullie Nivea-crème in een nepflacon gestopt en ziezo. Het spijt me het jullie te moeten zeggen,' doet ze een schepje boven op haar triomf, 'maar dat spul van jullie is troep! Gewoon troep!'

Lola doet of ze verpletterd is: 'Weet je het zeker?'

'Absoooluut zeker. Ik weet toch hoeveel het kost om dat te maken! Ze gebruiken alleen etherische oliën bij Lau…'

Op dat moment draai ik me naar mijn zus toe en vraag haar: 'Heb je het bij je?'

'Wat?'

'Nou, je crème…'

'Nee, ik geloof het niet… O, toch wel! Misschien… Wacht, ik kijk even in m'n tas.'

Ze diept haar flacon op en overhandigt die aan de expert.

Die zet haar leesbrilletje op en inspecteert het corpus delicti van alle kanten. Wij kijken stilletjes naar haar, we hangen aan haar lippen met een vage angst.

'En dokter?' waagt Lola.

'Ja, ja, het is wel van Lauder… Ik herken de lucht… En dan de textuur… Lauder, die heeft een heel speciale textuur. Het is ongelooflijk… Hoeveel had je ervoor betaald zei je? Twintig euro? Het is ongelooflijk,' zucht Carine terwijl ze haar bril in het etui stopt, het etui in het Biotherm-zakje en het Biotherm-zakje in de Tod's-tas. 'Het is ongelooflijk… Op dit niveau is het kostprijs. Hoe wil je dat we het hoofd boven water houden als ze de markt zo kapotmaken? Het is oneerlijke concurrentie. Niet meer en niet minder. Het is… Er is dan geen marge meer, ze… Het is echt niet zomaar iets. Ik word er treurig van…'

En verzonken in een afgrond van vertwijfeling troost ze zich door onder in haar koffie zonder cafeïne lang haar suiker zonder suiker door te roeren.

Het moeilijkste is om hierbij onze zelfbeheersing te bewaren tot de keuken, maar wanneer we daar eenmaal zijn, beginnen we te kakelen als kippen zonder kop. Als onze moeder langs loopt, zegt ze treurig: 'Jullie kunnen toch allebei zulke krenten zijn…' Lola reageert gepikeerd: 'Neem me niet kwalijk zeg… Dat heeft me maar liefst tweeënzeventig ballen gekost, die rommel!' Dan proesten we het weer uit en richten we ons op de afwas.

'Dat komt goed uit, met alles wat je vannacht hebt verdiend, zou je een keertje kunnen meebetalen aan de benzine…'

'Aan de benzine én aan de tol,' zeg ik en wrijf over mijn neus.

Ik kan hen niet zien, maar ik kan me zijn tevreden glimlachje voorstellen en zijn twee handen die plat op zijn samengedrukte knieën liggen.

Ik zak door mijn heup om een vet biljet uit mijn jeans te halen.

'Laat dat,' zegt mijn broer.

Zij piept: 'Maar, eh… Nou ja, Simon, ik zie niet waarom…'

'Ik zei: laat dat,' herhaalt mijn broer zonder zijn stem te verheffen.

Ze doet haar mond open, doet die weer dicht, draait wat heen en weer, doet haar mond weer open, veegt over haar dij, zit aan haar saffier, duwt die weer terug, inspecteert haar nagels, wil wat gaan zeg… doet er ten slotte het zwijgen toe.

Het is hommeles geweest. Als zij haar bek houdt, betekent het dat ze elkaar de huid vol hebben gescholden. Als zij haar bek houdt, betekent dat dat mijn broer zijn stem heeft verheven.

Wat zelden voorkomt…

Mijn broer windt zich nooit op, spreekt nooit kwaad over iemand, er zit geen kwaad bij, en hij veroordeelt zijn naaste niet. Mijn broer komt van een andere planeet. Van Venus misschien…

Wij zijn weg van hem. Wij vragen hem: 'Hoe kun je toch zo kalm blijven?' Hij haalt zijn schouders op: 'Ik weet het niet.' Wij vragen hem nog eens: 'Heb je nooit eens zin je een beetje te laten gaan? Erg gemene, erg lelijke dingen te zeggen?'

'Maar daarvoor heb ik jullie, schoonheden…' reageert hij met een engelachtige glimlach.

Ja, we zijn weg van hem. Iedereen is trouwens weg van hem. Onze minnen, zijn onderwijzeressen, de leraren, zijn collega's op kantoor, zijn buren… Iedereen.

Toen wij klein waren, neergezegen op het tapijt van zijn kamer, bezig met naar zijn platen te luisteren en met hem te kletsen terwijl hij ons huiswerk maakte, amuseerden we ons ermee ons onze toekomst voor te stellen. Wij voorspelden hem: 'Jij, jij bent zo aardig dat je je aan de haak laat slaan door een rotwijf.'

Bingo.

Ik kan me goed voorstellen waarom zij elkaar de huid vol hebben gescholden. Het ligt vermoedelijk aan mij. Ik zou hun conversatie ongeveer letterlijk kunnen reproduceren.

Gistermiddag heb ik aan mijn broer gevraagd of hij me kon komen halen. 'Wat is dat nou voor vraag…' reageert hij lief gepikeerd aan de telefoon. Vervolgens is die meid zich vast kwaad gaan maken, zo zouden ze verplicht zijn een grote omweg te maken. Mijn broer heeft vast zijn schouders opgehaald en zij heeft hem de wind van voren gegeven. 'Nou, schatje… Over de Place Clichy is het voor zover ik weet niet bepaald korter naar de Limousin…'

Hij was gedwongen geweest zichzelf geweld aan te doen om vastbesloten over te komen, ze waren boos gaan slapen en zij sliep in hotel Kont naar de Andere Kant.

Ze stond met een slecht humeur op. Bij haar biocichorei herhaalde ze: 'Die luie zus van je had toch best uit bed kunnen kruipen en hierheen kunnen komen… Van haar werk kan ze eerlijk gezegd niet moe worden, is het wel?'

Hij is er niet op ingegaan. Hij bestudeerde de kaart.

Zij is gaan mokken in haar Kaufman & Broadbadkamer (ik kan me ons eerste bezoek herinneren… Zij, met een soort sjaal van mauve mousseline om de hals, fladderde tussen haar groene planten en lichtte haar Petit Trianon toe met keelgeklok: 'Hier de keuken… functioneel. Hier de eetkamer… gezellig. Hier de zitkamer… flexibel. Hier de kamer van Léo… ludiek. Hier het washok… onontbeerlijk. Hier de badkamer… dubbel. Hier onze kamer… licht. Hier de…' Je kreeg de indruk dat ze het ons wilde verkopen. Simon bracht ons naar het station en toen we afscheid namen, zeiden we hem nog eens: 'Je hebt een mooi huis…' 'Ja, het is functioneel,' herhaalde hij hoofdschuddend. Noch Lola, noch Vincent, noch ik hebben een woord gesproken op de terugweg. We waren allemaal een beetje verdrietig en zaten ieder in ons hoekje, waarschijnlijk moesten we aan hetzelfde denken. Dat we onze grote broer hadden verloren en dat het leven zonder hem een stuk moeilijker zou worden…), vervolgens heeft ze tussen hun huis en mijn boulevard stellig minstens tien keer op haar horloge gekeken, gezucht bij elk stoplicht, en toen ze ten slotte toeterde – want zíj heeft getoeterd, dat weet ik zeker – hoorde ik dat niet.

Wat een ellende!

Simon van me, het spijt me je dit allemaal te hebben laten doorstaan…

De volgende keer regel ik het anders, dat beloof ik je.

Ik zal me er beter doorheen slaan. Ik zal vroeg naar bed gaan. Ik zal niet meer drinken. Ik zal niet meer kaarten.

De volgende keer ben ik evenwichtiger, weet je… Maar ja. Als ik er eentje tegenkom. Een goeie jongen. Een spetter. Een lot uit de loterij. Eentje met een rijbewijs en een Toyota op koolzaad.

Ik ga er eentje inpikken die bij de Post werkt omdat zijn papa bij de Post werkt, en die zijn negenentwintig uur volmaakt zonder ziek te worden. En een niet-roker. Ik heb hem beschreven op mijn formulier bij Meetic. Geloof je me niet? Nou, let maar op. Waarom heb je zo'n lol, idioot?

Zo hoef ik je zaterdagochtend niet meer te bederven om naar het platteland te gaan. Ik zeg dan tegen mijn lieverdje van de PTT: 'Hé! Lieverdje! Breng jij me naar de bruiloft van mijn nichtje met je mooie TomTom die zelfs Corsica heeft en de overzeese gebieden?', en hop! het probleem is opgelost.

Waarom lach je nou zo stom? Je denkt dat ik niet slim genoeg ben om me net als anderen te gedragen? Om een heer in te pikken met een geel hesje en een sticker van Nigloland? Een verloofde voor wie ik Celio-onderbroeken ga kopen in mijn lunchpauze? Reken maar van wel... Als ik er alleen al aan denk, krijg ik al een warm gevoel... Een goeie vent. Recht door zee. Simpel. Met centen en een spaarbankboekje.

En die nooit de baas speelt. En die enkel denkt aan het vergelijken van de prijzen in de schappen met die uit de folder, en die zegt: 'Je kunt er niet omheen, schatje, het verschil tussen de Castorama en de Leroy Merlin, dat is eigenlijk de service...'

En we gaan altijd door het souterrain om de hal niet vies te maken. En we laten onze schoenen onder aan de treden staan om de trap niet vies te maken. En we worden vrienden met de buren, die toch zo sympathiek zijn. En we hebben een buitenbarbecue, en dat is mazzel voor de kinderen want het perceel zal heel veilig zijn zoals mijn schoonzuster zegt en…

Wat een geluk.

Het was te erg. Ik ben gaan slapen.

*

Ik dook op op het parkeerterrein van een tankstation in de buurt van Orléans. Lekker in de koolteer. Versuft en kwijlend. Het openen van mijn ogen deed pijn en mijn haren leken wonderbaarlijk zwaar. Ik moest er trouwens zelfs aan voelen om te weten of het echt haren waren.

Simon wachtte voor de kassa's. Carine poederde zich nog eens.

Ik had me opgesteld voor een koffiemachine.

Het duurde minstens dertig seconden voor ik besefte dat ik mijn bekertje kon pakken. Ik heb het zonder suiker en zonder overtuiging opgedronken. Ik had zeker op de verkeerde knop gedrukt. Die cappuccino had toch een beetje een tomatensmaak?

Oef. Het zou een lange dag worden.

We zijn weer in de auto gestapt zonder een woord te wisselen. Carine nam een alcoholdoekje uit haar beautycase om haar handen te desinfecteren.

Carine desinfecteert haar handen altijd wanneer ze een openbare gelegenheid verlaat.

Dat is vanwege de hygiëne.

Carine zíet namelijk microben.

Ze ziet hun harige pootjes en hun verschrikkelijke bek.

Daarom neemt ze ook nooit de metro. Ze houdt evenmin van treinen. Ze blíjft maar denken aan lui die hun voeten op de bank hebben gelegd en hun neusstrontjes onder de leuning hebben geplakt.

Ze verbiedt haar kinderen op een bankje te gaan zitten of trapleuningen aan te raken. Ze heeft er moeite mee hen naar het parkje te laten gaan. Ze heeft er moeite mee hen op een glijbaan te zetten. Ze heeft moeite met de dienbladen van McDonald's en ze heeft er véél moeite mee als ze Pokémon-kaarten ruilen. Ze walgt van slagers die geen handschoenen aan hebben en winkelmeisjes die geen tang hebben om haar croissant te pakken. Ze lijdt onder de gemeenschappelijke vieruurtjes op school en de tochtjes naar het zwembad waar alle kinderen elkaar de hand geven voor ze hun mycoses uitwisselen.

Leven is, voor haar, een vermoeiende bezigheid.

Ik erger me altijd vreselijk aan dat gedoe met des-
infecterende doekjes.

Altijd de ander als een zak microben beschou-
wen. Altijd je nagels nakijken als je iemand de hand
reikt. Altijd wantrouwend zijn. Altijd je achter je
sjaal verschuilen. Altijd je kinderen tot de orde roe-
pen.

Afblijven. Het is smerig.

Haal je handen daar weg.

Niet delen.

Niet de straat op.

Niet op de grond zitten of je krijgt een tik!

Altijd je handen wassen. Altijd je mond spoelen.
Altijd pissen terwijl je tien centimeter boven de bril
balanceert en kussen zonder je lippen te gebruiken. Altijd de mama's veroordelen op grond van de
kleur van de oren van hun kroost.

Altijd.

Altijd veroordelen.

Dat spul ruikt helemaal niet lekker. In Carines familie zeggen ze tijdens de maaltijd al vlug waar het
op staat en gaan ze het over Arabieren hebben.

De vader van Carine heeft het over *tuig*.

Hij zegt: 'Ik betaal belasting zodat dat tuig tien
kinderen op de wereld zet.'

Hij zegt: 'Ik zou het in een boot kieperen, en dan
een torpedo tegen al dat ongedierte.'

Hij zegt ook graag: 'Frankrijk is een land van steuntrekkers en nietsnutten. De Fransen zijn allemaal stommelingen.'

En dikwijls besluit hij in deze trant: 'De eerste zes maanden van het jaar werk ik voor mijn familie en de overige zes voor de Staat, dan hoef je bij mij toch niet aan te komen met armen en werklozen?! Eén op de twee dagen werk ik zodat Mohammed z'n tien negerinnetjes kan bezwangeren, dus kom bij mij niet aan met lessen over moraal!'

Ik denk aan één lunch in het bijzonder. Ik denk er niet graag aan terug. De kleine Alice werd gedoopt. We waren samengekomen bij de ouders van Carine in de buurt van Le Mans.

Haar vader beheert een Casino (van de erwtjes, niet een plaats waar wordt gespeeld), en toen ik hem zag aan het eind van zijn verharde laan, tussen zijn lantaarn van smeedwerk en zijn mooie Audi, had ik pas echt door wat het woord *blasé* inhoudt. Die mengeling van domheid en arrogantie. Die onwankelbare zelfvoldaanheid. Dat hemelsblauwe kasjmier waarmee die dikke buik was behangen en die vreemde manier – zo hartelijk – om je een hand te geven terwijl hij je al haat.

Ik schaam me als ik aan die lunch denk. Ik schaam me en ik ben niet de enige. Lola en Vincent zijn er ook niet trots op, stel ik me zo voor…

Simon was er niet bij toen de conversatie ont-
aardde. Hij was achter in de tuin en bouwde een
hut voor zijn zoon.

Dat is vast zijn gewoonte. Hij weet vast dat je beter uit de buurt van de dikke Jacquot kan blijven
wanneer die uitbuikt.

Simon is net als wij: hij houdt niet van de scheld-
partijen aan het eind van een maaltijd, is bang voor
aanvaringen en mijdt krachtmetingen. Hij be-
weert dat je je energie beter kunt gebruiken en dat
je je krachten moet bewaren voor interessantere
conflicten. Dat je bij lieden als zijn schoonvader de
strijd bij voorbaat hebt verloren.

En als je het met hem over de opmars van ex-
treem rechts hebt, schudt hij het hoofd: 'Ach…
Dat is het slijk onder in het meer. Het is onvermij-
delijk, het hoort bij de mens. Niet in roeren, dan
komt het maar weer aan de oppervlakte.'

Hoe houdt hij die familie-etentjes vol? Hoe redt hij
het om zijn schoonvader te helpen bij het knippen
van diens heg?

Hij denkt aan de hutten van Léo.

Hij denkt aan het ogenblik dat hij zijn kleine
jongen bij de hand neemt en met hem in het stille
kreupelhout doordringt.

Ik schaam me omdat we die dag werden verpletterd.

We zijn *nog steeds* verpletterd. We hebben de praatjes van die woedende kruidenier, die nooit verder kijkt dan zijn navel in de verte, niet rechtgezet.

We hebben hem niet tegengesproken. We zijn niet van tafel opgestaan. We zijn doorgegaan met langzaam op elk hapje te kauwen en volstonden ermee te denken dat die figuur een lul was. Intussen trokken we hard aan alle naden in een poging ons nog te hullen in wat er voor onze waardigheid in de plaats was gekomen.

Arme wij. Zo laf, zo laf…

Waarom zijn wij alle vier zo? Waarom zijn we zo onder de indruk van lieden die harder schreeuwen dan de anderen? Waarom raken wij door agressieve lieden de kluts kwijt?

Wat is er mis met ons? Waar houden goede manieren op en waar begint lafheid?

We hebben het er dikwijls over gehad. We hebben zo vaak onze schuld bekend bij pizzakorsten en gelegenheidsasbakken. We hebben niemand nodig om onze nek neer te drukken. We zijn groot genoeg om die zelf te buigen, en hoeveel flessen er ook leeg zijn, we komen altijd tot dezelfde slotsom. Dat wanneer wij zo zijn, zwijgzaam en vastbesloten maar steevast machteloos tegen klootzakken, dit alleen komt doordat wij geen greintje zelfvertrouwen hebben. We houden niet van onszelf.

Niet persoonlijk, bedoel ik.

Zo veel belang hechten wij niet aan onszelf.

Niet genoeg om op het vest van vader Molinoux te spugen. Niet genoeg om één tel te geloven dat als wij moord en brand schreeuwen hij van gedachte zou veranderen. Niet genoeg om te hopen dat onze gebaren van afschuw, de servetten die we op tafel werpen en de stoelen die we omgooien, ook maar iets zouden kunnen veranderen aan hoe het op de wereld toegaat.

Wat zou die dappere belastingbetaler denken als hij zag dat we ons zo opwonden en zijn huis met opgestoken veren verlieten? Hij zou alleen de hele avond zijn vrouw overladen met een onophoudelijk: 'Wat een rotzakjes. Nee maar, wat een rotzakjes. Nee maar, heus, wat een rotzakjes…'

Waarom die arme vrouw dat aandoen?

Wie zijn wij om het feestje van twintig mensen te vergallen?

Je kunt ook zeggen dat het geen lafheid is. Je kunt ook erkennen dat het wijsheid is. Erkennen dat wij afstand weten te nemen. Dat wij er niet van houden in de stront te roeren. Dat wij eerlijker zijn dan al die lui die voortdurend kletsen zonder iets te bereiken.

Ja, zo spreken we onszelf moed in. Door onszelf voor te houden dat we jong zijn en toch al heel scherpzinnig. Dat we mijlenver boven het gekrioel staan en dat de domheid ons daar niet bereikt. We spotten ermee. We hebben iets anders. Wij hebben onszelf. Wij zijn op een andere manier rijk.

We hoeven alleen in ons binnenste te kijken.

Er gaat zoveel in onze hoofden om. Zoveel dat heel ver van dat racistische gebabbel af staat. We hebben muziek en schrijvers. Wegen, handen, holen. Staarten van vallende sterren overgetekend op de bonnetjes van de bankpas, losgerukte bladzijden, gelukkige herinneringen en vreselijke herinneringen. Liedjes, deuntjes op de puntjes van onze tongen. Opgeslagen berichtjes, boeken die hard aankwamen, heel zachte beertjes en platen met krassen. Onze kindertijd, onze eenzaamheid, onze eerste ontroering en onze toekomstplannen. Al die uren op de uitkijk en al die opengehouden deuren. De salto's van Buster Keaton. De brief van Armand Robin aan de Gestapo en de ram van de wolken van Michel Leiris. De scène waarin Clint Eastwood zich omdraait met de woorden *Oh… and don't kid yourself, Francesca…* en die waarin Nicola Carati zijn gefolterde zieken ondersteunt voor hun beul. De bals op 14 juli in Villiers. De geur van de kweeperen in de kelder. Onze grootouders, de sabel van jan soldaat, zijn glimmende uniform, onze hersenschimmen van provinciaaltjes en de avonden voor het examen. De regenkleding van juffrouw Jeanne wanneer ze bij Gaston achter op diens motor stapt. *Les passagers du vent* van François Bourgeon en de eerste regels uit het boek van André Gorz aan zijn vrouw die Lola me gisteravond heeft voorgelezen door de telefoon toen we al een uur de liefde aan het afkraken waren: 'Je wordt binnenkort tweeëntachtig. Je bent zes centimeter gekrompen. Je weegt maar vijfenveertig kilo en je bent nog altijd mooi, gracieus en begeerlijk.' Marcello Mastroianni in *Oci ciornie* en de jurken van Cristóbal Balenciaga. De geur van stof en droog brood voor de paarden wanneer we 's avonds uit de bus stapten. De Lalannes in hun ateliers gescheiden door een tuin. De nacht toen we de Rue des Vertus opnieuw hebben geschilderd en de nacht toen we een haringvel onder het terras hebben geschoven van het restaurant waar die stomkop van een Tefalpan werkte. En die reis toen we uitgestrekt over de dozen achter in een bestelwagen lagen en Vincent ons luidkeels heel *L'Établi* voorlas. Het gezicht van Simon toen hij voor de eerste keer in z'n leven Björk had gehoord en Monteverdi op het parkeerterrein van de Macumba.

Al die dwaasheden, al die wroeging, en onze zeepbellen bij de begrafenis van de peetoom van Lola…

Onze verloren liefdes, onze verscheurde brieven en onze vrienden aan de telefoon. Die gedenkwaardige nachten, die hebbelijkheid om altijd alles op stelten te zetten en hij of zij die we morgen omverlopen terwijl we achter een bus aan rennen die niet op ons heeft gewacht.

Dat allemaal en nog meer.

Genoeg om je ziel niet kapot te maken.

Genoeg om niet te proberen met idioten in discussie te gaan.

Dat ze creperen.

Ze creperen hoe dan ook.

Ze creperen in hun eentje terwijl wij in de bioscoop zitten.

Dat houden we ons dus voor om te kunnen verkroppen dat we die dag niet zijn vertrokken.

We herinneren ons ook dat dit alles, deze schijnbare onverschilligheid, deze discretie, deze zwakte ook, aan onze ouders is te wijten.

Aan hen te wijten, of aan hen te danken.

Zij hebben ons namelijk in boeken en muziek ingewijd. Zij hebben met ons over andere dingen gepraat en ons gedwongen het anders te zien. Dieper, verder. Maar zij hebben ook vergeten ons zelfvertrouwen te schenken. Ze dachten dat dit wel vanzelf zou komen. Dat wij iets voor het leven hadden meegekregen en dat ons ego door complimenten zou worden bedorven.

Mislukt.

Het is nooit gekomen.

En nu staat het er zo met ons voor. Sublieme nullen. Zwijgen tegenover opgewonden standjes met onze mislukte stoute staaltjes en ons vaag verlangen om te braken.

Te veel banketbakkersroom misschien…

Op een dag, zo herinner ik mij, waren we met het hele gezin op een strand nabij Hossegor – en het gebeurde op een of andere manier zelden dat we met het hele gezin waren, want Gezin met een hoofdletter G paste eigenlijk nooit bij ons – onze Pop (onze papa wilde nooit dat we hem Papa noemden en wanneer mensen zich daarover verbaasden, dan antwoordden wij dat het door mei achtenzestig kwam. Dat vonden we wel een mooie verklaring, 'Mei '68', het was net een geheime code, het was of we zeiden: 'De reden is dat hij van de planeet Zorb komt'), onze Pop haalde dus ongetwijfeld zijn neus uit zijn boek en zei: 'Kinderen, zien jullie dit strand?'

(De Côte d'Argent, zien jullie het strand daar voor je?)

'Goed, weten jullie wat jullie zijn in het universum?'

(Ja! Kinderen zonder ijsjes!)

'Jullie zijn die zandkorrel. Net die zandkorrel daar. Meer niet.'

We geloofden hem.

Helaas voor ons.

'Wat ruikt daar zo?' tobde Carine.

Ik wilde net de brij van mevrouw Rachid op mijn benen smeren.

'Maar… wat is dat voor spul?'

'Ik weet het niet. Ik geloof dat het honing is of een mengsel van karamel met was en kruiden…'

'Wat verschrikkelijk! Het is echt walgelijk. En jij hebt dat meegebracht?'

'Dat moet wel… Het zal hier niet vanzelf zijn gekomen. Of het moest een yeti zijn.'

Mijn schoonzuster draaide zich met een zucht om.

'Let je wel op de bekleding… Simon, doe de airco eens uit, dan zet ik m'n raampje open.'

…*alsjeblieft*, vulde ik tussen mijn tanden aan.

Mevrouw Rachid had die grote loukoumi in een vochtige doek gewikkeld. 'De volgende keer bij me terugkom. Bij me terugkom dan ik voor je zorgen. Dan ik zorgen voor je liefdestuintje. Je zien zullen dat hij je man worden wanneer ik alles voor je weghaal. Hij gek van je zijn en je hem alles kunnen vragen wat je w…' had ze me met een knipoog verzekerd.

Ik glimlachte. Niet te veel. Ik had net een vlek op

de leuning gemaakt en jongleerde met mijn Klee-
nex. Wat een troep.

'En je gaat je ook in de auto verkleden?'

'We kunnen even voordien toch stoppen…
Nietwaar, Simon? Je zoekt toch wel een zandweg
voor me?'

'Waarop een karretje rijdt?'

'Dat mag ik hopen!'

'En Lola?' vraagt Carine weer.

'Wat is er met Lola?'

'Komt ze?'

'Dat weet ik niet.'

'Dat weet je niet?' sprong ze op.

'Nee. Dat weet ik niet.'

'Het is ongelooflijk… Met jullie weet je het nooit.
Altijd hetzelfde liedje. Altijd die o zo artistieke vaag-
heid. Kunnen jullie af en toe de dingen niet een beetje plannen? Een heel klein beetje in elk geval?'

'Ik heb haar gisteren aan de telefoon gehad,' zei
ik koeltjes. 'Ze voelde zich niet al te best en wist nog
niet of ze kwam.'

'Verbaast me niet…'

O, wat een hekel had ik aan dat neerbuigende
toontje…

'Wat verbaast je niet?' snerpte ik.

'Eigenlijk niets! Niets verbaast me meer met jullie! En dat Lola er zo aan toe is, ligt ook aan haar. Ze

heeft het zo gewild, nietwaar? Ze heeft er ook een handje van in de onmogelijkste ellende te belanden. Je hebt geen idee…'

Ik zag in de achteruitkijkspiegel hoe Simons voorhoofd zich rimpelde.

'Tja, zo denk ik erover, hè…'
    Ja. Inderdaad. Zo denk jij erover, hè…
    'Het probleem met Lo…'
    'Stop,' blies ik haar in volle vlucht op, 'stop. Ik heb onvoldoende slaap gehad… Een andere keer.'

Ze deed geërgerd: 'Hoe dan ook, je kunt in deze familie nooit iets zeggen. Zodra je ook maar de minste kritiek hebt, storten de andere drie zich op je met een mes op je keel, het is belachelijk.'
    Simon zocht mijn blik.
    'En daar moet jij om glimlachen? Daar moeten jullie allebei om glimlachen! Dat slaat echt nergens op. Dat is kinderachtig. Je kunt toch een mening hebben, nietwaar? Omdat jullie niets willen horen, kun je niets zeggen, en omdat niemand ooit iets zegt kunnen jullie je gang blijven gaan. Jullie twijfelen nooit over jezelf. Ik zal jullie eens zeggen wat ik ervan vind…'
    Maar het kan ons geen barst schelen wat jij ervan vindt, schat!
    'Ik vind dat jullie niet gebaat zijn bij dit soort

31

protectionisme, deze "wij vormen één front en hebben lak aan jullie"-houding. Het is absoluut niet constructief.'

'Maar wat is er wél constructief hier op aarde, mijn kleine Carine?'

'O, lieve help, komt dat ook weer. Hou eens twee minuten op met jullie filosofie van ontgoochelde Sokrates. Dat wordt zielig op jullie leeftijd. Zeg eens, ben je klaar, met je stopverf, want dat spul is echt walgelijk…'

'Ja, ja…' stelde ik haar gerust, en rolde intussen mijn bol over mijn bleke kuitjes, 'bijna.'

'En je doet nadien geen crème op? Je poriën zijn namelijk geïrriteerd, je moet ze nu rehydrateren, anders heb je tot morgen rode puntjes.'

'Verdorie, ik heb niets meegenomen…'

'Je hebt geen verzorgingscrème?'

'Nee.'

'Ook geen dagcrème?'

'Nee.'

'Ook geen nachtcrème?'

'Nee.'

'Je hebt niets?'

Ze was ontsteld.

'Jawel. Ik heb een tandenborstel, tandpasta, L'Heure Bleue, voorbehoedsmiddelen, mascara en een stick Labello rose.'

Ze was geschokt.

'Dat is alles wat je in je toilettas hebt?'

'Eh… Het zit in m'n tas. Ik heb geen toilettas.'

Ze zuchtte, is in haar beautycase gedoken en overhandigde me een dikke witte tube.

'Nou, neem dat dan maar…'

Ik heb haar met een welgemeende glimlach bedankt. Ze was tevreden. Het is een zeurkous eerste klas, zeker, maar ze doet je graag een plezier. Die goede eigenschap kun je haar niet ontzeggen…

En ze laat ook niet graag de poriën geïrriteerd. Dat snijdt haar door de ziel.

In één adem vervolgde ze: 'Garance?'

'Mmmm…'

'Weet je wat ik hoogst onrechtvaardig vind?'

'De marges van Marionn…'

'Dat je toch mooi zult zijn. Met alleen een beetje lippenstift en wat Rimmel word je al mooi. Het doet me pijn je het te zeggen, maar het is de waarheid…'

Ik was stomverbaasd. Het was de eerste keer in jaren dat ze iets aardigs tegen me zei. Ik had haar bijna omhelsd, maar ze kalmeerde me meteen: 'Hé! Je maakt heel m'n tube leeg! Mag ik je erop wijzen dat het geen L'Oréal is?'

Dat is onze Carine ten voeten uit… Uit angst dat ze op een zwakheid wordt betrapt, bezorgt ze je stelselmatig een steekje na de liefkozing.

Jammer. Zo berooft ze zich van een heleboel

mooie momenten. Het was een mooi moment voor haar geweest als ik haar onverwachts om de hals was gevallen. Een dikke kus tussen twee vrachtwagens… Maar nee. Ze moet altijd alles verpesten.

Vaak houd ik mezelf voor dat ik haar een paar dagen bij mij thuis een stage zou moeten laten volgen om haar te leren leven.

Dat ze eindelijk haar waakzaamheid laat varen, dat ze zich ontspant, dat ze de doktersjas uitdoet en de uitwasemingen van anderen vergeet.

Het verdriet me haar zo te kennen, ingesnoerd in haar vooroordelen en niet in staat tot tederheid. En dan bedenk ik dat ze is opgevoed door de levenslustige Jacques en Francine Molinoux aan het eind van een doodlopende straat in een voorstad van Le Mans en ik houd me voor dat ze het er, alles welbeschouwd, niet eens zo slecht afbrengt…

De wapenstilstand was niet duurzaam en Simon kreeg het voor de kiezen: 'Rij niet zo hard. Hou je vast, we komen zo bij de tol. Wat is dat op de radio? Ik heb toch geen twintig per uur gezegd? Waarom heb je de airco lager gezet? Pas op voor de motorrijders. Weet je zeker dat je de goede kaart hebt gepakt? Kijken we op de borden alsjeblieft? Het is idioot, de benzine was daar beslist minder duur… Oppassen in de bochten, je ziet toch wel dat ik m'n nagels aan het doen ben! Toe nou… Doe je het opzettelijk of zo?'

Ik kijk door de opening in zijn hoofdsteun naar de nek van mijn broer. Zijn mooie, rechte nek en zijn kortgeknipte haar.

Ik vraag me dikwijls af hoe hij dit volhoudt en of hij er niet nu en dan van droomt haar aan een boom vast te binden en weg te sjezen.

Waarom praat ze zo akelig tegen hem? Heeft ze wel een idee tegen wie ze het heeft? Weet ze dat de man die naast haar zit een god was van de modelbouw? Een meester in meccano? Een genie met lego?

Een geduldig jongetje dat enkele maanden besteedde aan het bouwen van een te gekke planeet met gedroogd mos om de bodem te maken en afzichtelijke beestjes, gefabriceerd van broodkruim en door spinnenwebben gerold?

Een koppig jochie dat aan alle prijsvragen meedeed en ze bijna allemaal won: Nesquik, Ovomaltine, Babybel, Caran d'Ache, Kellogg's en Club Mickey.

Er was een jaar dat zijn zandkasteel zo mooi was dat de juryleden hem diskwalificeerden: ze beschuldigden hem ervan dat hij zich had laten helpen. Hij huilde heel de middag en onze grootvader moest hem naar een pannenkoekenhuis meenemen om hem te troosten. Daar heeft hij achter elkaar drie kommen cider gedronken.

Zijn eerste dronkenschap.

Realiseert zij zich wel dat haar goedzak van een man maandenlang dag en nacht een Superman-cape van rood satijn heeft gedragen die hij iedere keer wanneer hij naar school moest zorgvuldig opgevouwen in zijn tas stopte? De enige jongen die het fotokopieerapparaat van het stadhuis kon repareren. En ook de enige die ooit het slipje heeft gezien van Mylène Carois, de dochter van slagerij Carois en zonen. (Hij heeft haar niet durven zeggen dat dit hem niet bijster interesseerde.)

Simon Lariot, de bescheiden Simon Lariot die altijd aardig en zonder iemand te ergeren z'n eigen gangetje is gegaan.

Die nooit drukte heeft gemaakt, die nooit eisen heeft gesteld, die zich nooit heeft beklaagd. Die zonder tandengeknars en zonder tenormin de voorbereidende jaren en de toelating tot de Hogere School voor Mijnbouw heeft doorstaan. Die dat nooit heeft willen vieren en vreselijk bloosde toen de directrice van het Stendhal-lyceum hem op straat omhelsde om hem te feliciteren.

Dezelfde grote jongen die exact twintig minuten schaapachtig kan lachen als hij een joint rookt en die álle banen kent van álle ruimteschepen uit *Star Wars*.

Ik vind hem geen heilige, ik vind hem nog beter.

Waarom dan toch? Waarom laat hij zich zo op z'n kop zitten? Een raadsel. Talloze keren heb ik hem door elkaar willen schudden, hem de ogen openen en hem vragen met zijn vuist op tafel te slaan. Talloze keren.

Op een dag heeft Lola het geprobeerd. Hij heeft haar met een kluitje in het riet gestuurd en geantwoord dat het zijn leven is.

Dat is waar. Het is zijn leven. Maar wíj voelen het verdriet.

Wat trouwens idioot is. We hebben onze handen al vol genoeg aan onze eigen zaakjes…

Met Vincent praat hij het meest. Vanwege internet. Ze mailen elkaar voortdurend, sturen elkaar stomme grappen en adressen van sites waarop je grammofoonplaten kunt vinden, tweedehands gitaren of liefhebbers van modelbouw. Op die manier heeft Simon een supervriend opgediept in Massachusetts met wie hij foto's uitwisselt van hun respectievelijke radiografisch bestuurde bootjes. De man heet Cecil (Sisseul) W. (Deubelyou) Thurlinghton en woont in een groot huis op het eiland Martha's Vineyard.

Lola en ik vinden dat superchic… Martha's Vineyard… 'De wieg van de Kennedy's', zoals ze het in *Paris Match* noemen.

We dromen ervan het vliegtuig te nemen en als we op het privéstrand van Cecil komen te schreeuwen: '*Youhou! We are Simon's sisters! Darling Cécile! We are so very enchantède!*'

We stellen hem ons voor met een marineblauwe blazer, een oudroze katoenen pullover over de schouders en een pantalon van crèmekleurig linnen. Kan zo in een advertentie voor Ralph Lauren.

Wanneer we Simon met zo'n schande bedreigen, raakt hij zijn flegma een beetje kwijt.

'Volgens mij doe je het opzettelijk! Straks zit ik er nog naast!'

'Maar hoeveel lagen doe je wel niet op?' reageert hij ten slotte ongerust.

'Drie.'

'Drie lagen?'

'De foundation, de kleur en het fixatief.'

'Zo…'

'Wel oppassen, en waarschuw me wanneer je remt!'

Hij fronst zijn wenkbrauwen. Nee. Sorry. Eén wenkbrauw maar.

Waaraan denkt hij als hij op die manier zijn rechterwenkbrauw fronst?

We hebben een rubberachtige sandwich gegeten op een parkeerplaats op de snelweg. Walgelijke troep. Ik had op een dagschoteltje aangedrongen bij een wegrestaurant, maar die 'weten niet hoe ze de sla moeten wassen'. Dat klopt. Ik was het vergeten. Dus drie vacuüm verpakte sandwiches. (Een stuk hygiënischer.)

'Lekker is het niet, maar je weet tenminste wat je eet!'

Ook een standpunt.

We zaten buiten naast de vuilcontainers. Je hoorde iedere twee tellen 'vrrrrrammm' en 'vrrrrroemmm', maar ik wilde een sigaretje roken en Carine kan niet tegen tabakslucht.

'Ik moet naar het toilet,' kondigde ze aan op een gekweld toontje. 'Dat zal hier wel niet al te luxueus zijn…'

'Waarom doe je het niet in de openlucht?' vroeg ik haar.

'Met iedereen erbij? Ben je gek?'

'Je kunt toch een eindje verderop. Ik ga met je mee als je wilt…'

'Nee.'

'Waarom niet?'

'Dan bevuil ik m'n schoenen.'

'Nou zeg… Die drie druppeltjes geven toch niets?'

Ze stond op zonder me een antwoord waardig te keuren.

'Weet je, Carine,' verklaarde ik op plechtige toon, 'de dag dat je het leuk vindt om een plasje in de openlucht te doen, zul je veel gelukkiger zijn.'

Ze pakte haar doekjes.

'Het gaat heel goed allemaal, dank je.'

Ik wendde me naar mijn broer. Hij staarde naar de maïsvelden of hij iedere kolf probeerde te tellen. Hij leek niet bijster in vorm.

'Gaat het wel?'

'Het gaat best,' antwoordde hij zonder zich om te draaien.

'Daar lijkt het niet op…'

Hij wreef over zijn gezicht.

'Ik ben moe.'

'Waarvan?'

'Van alles.'

'Jij? Ik geloof je niet.'

'En toch is het zo…'

'Komt het door je werk?'

'Mijn werk. Mijn leven. Alles.'

'Waarom vertel je me dit?'

'Waarom zou ik het je niet vertellen?'

Hij draaide me weer zijn rug toe.

'Simon toch! Wat maak je ons nou? Hé, je hebt het recht niet zo te praten. Jij bent de held van de familie, ik zeg het je maar!'

'Maar ja… De held is vermoeid.'

Ik was stomverbaasd. Het was de eerste keer dat ik hem in een dip zag.

Als Simon begon te twijfelen, hoe moest het dan verder met ons?

Op dat moment, en ik vind dat een wonder, en ik zeg erbij dat het me niet verbaast, en ik kus de patroonheilige van de broers en zussen die al bijna vijfendertig jaar over ons waakt en de brave man zit niet om werk verlegen, ging zijn mobieltje over.

Het was Lola die eindelijk een besluit had genomen en hem vroeg of hij haar kon komen ophalen op het station van Châteauroux.

Het moreel kwam meteen terug. Hij liet zijn mobieltje in zijn zak glijden en vroeg me om een sigaret. Carine kwam terug, terwijl ze zich tot de ellebogen afboende. Ze wees hem op het precieze aantal slachtoffers dat kanker kreeg door… Hij maakte een handgebaartje of hij een vlieg wilde verjagen waarop zij zich kuchend uit de voeten maakte.

Lola zou komen. Lola zou bij ons zijn. Lola had ons niet in de steek gelaten en de rest van de wereld kon maar beter wegwezen.

Simon had zijn zonnebril opgezet.

Hij glimlachte.

Zijn Lola zat in de trein…

Er is iets bijzonders tussen hen tweeën. Om te beginnen staan ze het dichtst bij elkaar, achttien maanden verschil, en bovendien zijn ze werkelijk samen *kind* geweest.

Les quatre cents coups, zo ging het altijd met hen.

Lola had een waanzinnige fantasie en Simon was dociel (toen al...), ze liepen weg, ze verdwaalden, ze hadden ruzie, ze deden elkaar pijn en ze verzoenden zich. Mama zegt dat zij hem continu treiterde, dat zij hem altijd kwam lastigvallen in zijn kamer, ze rukte hem dan zijn boek uit handen of trapte tegen zijn Playmobil. Mijn zus heeft niet graag dat men haar aan deze wapenfeiten herinnert (ze krijgt het idee in dezelfde categorie als Carine te worden ondergebracht!), daarom voelt onze moeder zich geroepen de feiten bij te stellen en eraan toe te voegen dat ze altijd ondernemend was, alle kinderen uit de buurt uitnodigde en allerlei nieuwe spelletjes verzon. Dat ze een soort leuke leidster was die duizend ideeën per minuut spuide en over haar oudere broer waakte als een broedse kip. Dat ze een brouwsel met Benco voor hem maakte en dat ze hem tussen zijn lego ging halen wanneer *Goldorak* of *Albator* begon.

Lola en Simon hebben de Gouden Tijd meegemaakt. Die in Villiers. Toen wij helemaal in de rimboe woonden en onze ouders samen gelukkig waren. Voor hen begon de wereld voor het huis, om aan het eind van het dorp op te houden.

Samen hebben ze zich uit de voeten gemaakt voor stieren die geen stieren waren en huizen bezocht waar het echt spookte.

Ze hebben belletje getrokken bij moedertje

Margeval tot die rijp was voor een inrichting en vallen kapotgemaakt, ze hebben in waskuipen gepist, de schunnige tijdschriften van de meester gevonden, blaffers gestolen, superrotjes aangestoken en katjes opgevist die een rotvent levend in een plastic zak had gestopt.

Boem! Zeven poesjes tegelijk. Wat zal onze Pop blij zijn geweest!

En de dag dat de Tour de France door ons dorp kwam… Ze zijn vijftig stokbroden gaan kopen en hebben een heleboel sandwiches verkocht. Met de centjes zijn ze feestartikelen gaan kopen, zestig pakjes kauwgum, een springtouw voor mij, een trompetje voor Vincent (toen al!) en de nieuwste *Yoko Tsuno*.

Ja, dat was een andere kindertijd… Zij wisten wat een roeipen was, rookten kruiden en kenden de smaak van kruisbessen. De gebeurtenis die de meeste indruk op hen heeft gemaakt is trouwens heimelijk achter de schuurdeur vastgelegd: *Vandaag 8 ~~April~~ april hebben we de priester in z'n korte broek gezien.*

En verder hebben ze samen de scheiding van de ouders meegemaakt. Vincent en ik waren te klein. Wij doorzagen het bedrog pas echt op de dag van de verhuizing. Zij hebben daarentegen de gelegenheid gehad volop van het spektakel te profiteren. Ze stonden 's nachts op en gingen naast elkaar boven aan de trap zitten om hen te horen 'discussiëren'. Op een avond heeft Pop de enorme keukenkast omgegooid en mama is met de auto vertrokken.

Tien treden hoger zogen zij op hun duim.

Het is idioot dit allemaal te vertellen, hun verstandhouding is op veel meer gebaseerd dan op dit soort ietwat zware momenten. Maar goed…

Voor Vincent en mij ligt dit heel anders. Wij zijn kinderen in de stad geweest. Minder fietsen en meer televisie… Wij konden geen bandje plakken, maar we wisten wel hoe je de controleurs voor de gek kon houden, in de bioscopen kon binnenkomen via de nooduitgang of een skateplank kon repareren.

En toen is Lola naar de kostschool gegaan en was er niemand meer om ons ideeën in te fluisteren voor dwaasheden en ons in de tuin achterna te zitten…

We schreven elkaar iedere week. Ze was mijn grote, geliefde zus. Ik idealiseerde haar, stuurde haar tekeningen en schreef gedichten voor haar. Als ze terugkwam, vroeg ze me of Vincent zich tijdens haar afwezigheid netjes had gedragen. Helemaal niet, zei ik haar, helemaal niet. En ik beschreef haar uitgebreid alle schandelijkheden waarvan ik de afgelopen week het slachtoffer was geweest. Dan sleurde ze hem, tot mijn grote voldoening, naar de badkamer om hem af te ranselen.

Hoe meer mijn broer huilde, hoe meer ik in m'n sas was.

En toen wilde ik hem, om me nog beter te voelen, op een dag zien lijden. En verschrikkelijk genoeg sloeg mijn zuster met de zweep op een kussen terwijl Vincent op het ritme mee loeide en een *Bollie en Billie* las. Dat was een diepe teleurstelling. Die dag is Lola van haar voetstuk gevallen.

Wat een goede zaak bleek. Wij stonden voortaan op dezelfde hoogte.

Tegenwoordig is ze mijn beste vriendin. Zoiets als bij Montaigne en La Boétie, u weet wel… Omdat zij het was, omdat ik het was. En dat die jonge vrouw van tweeëndertig mijn oudere zus is, is van geen enkel belang. Afgezien van het feit dat we geen tijd verloren om elkaar te vinden.

Voor haar *Les Essais*, de supertheorieën, dat je wordt gestraft voor koppig zijn en dat filosofie inhoudt leren sterven. Voor mij het *Discours de la servitude volontaire*, de eindeloze misstanden en al die tirannen die alleen groot zijn omdat wij knielen. Voor haar de ware kennis, voor mij de rechtbanken. Voor ons allebei het idee de helft van alles te zijn en dat de een zonder de ander niet meer dan half is.

Toch zijn we verschillend… Zij is bang voor haar schaduw, ik ga erop zitten. Zij schrijft sonnetten over, ik download samples. Zij bewondert schilders, ik geef de voorkeur aan fotografen. Zij zegt nooit wat ze op haar hart heeft, ik zeg alles wat ik denk. Zij houdt niet van conflicten, ik houd ervan dat de dingen duidelijk zijn. Zij is graag 'een beetje teut', ik drink liever. Zij gaat niet graag weg, ik kom niet graag terug. Zij kan zich niet vermaken, ik kan maar niet gaan slapen. Zij doet niet graag spelletjes, ik verlies niet graag. Zij heeft enorme armen, mijn hartelijkheid is een beetje op. Zij maakt zich nooit druk, ik doe het in m'n broek.

Zij zegt dat de wereld toebehoort aan wie vroeg opstaat, ik smeek haar minder hard te praten. Zij is romantisch, ik ben pragmatisch. Zij is getrouwd, ik fladder. Zij kan niet naar bed met een jongen zonder verliefd te zijn, ik kan niet naar bed met een jongen zonder voorbehoedmiddel. Zij… Zij heeft mij nodig en ik heb haar nodig.

Zij veroordeelt me niet. Ze neemt me zoals ik ben. Met mijn grijze tint en mijn zwarte ideeën. Of met mijn roze teint en mijn fleurige ideeën. Lola weet wat een enorme zin in een regenjas of hoge hakken inhoudt. Ze heeft begrip voor het plezier dat je beleeft aan het opwarmen van een creditcard en het dodelijk schuldgevoel dat je krijgt zodra die is afgekoeld. Lola verwent me. Ze houdt het gordijn op wanneer ik in het pashokje sta, zegt me altijd dat ik mooi ben en nee hoor, dat ik zo helemaal geen dikke kont krijg. Ze vraagt me elke keer hoe het met mijn liefdes gaat en is misnoegd wanneer ik haar over mijn minnaars vertel.

Wanneer we elkaar lang niet hebben gezien, neemt ze me mee naar een brasserie, naar Bofinger of naar Balzar om naar de jongens te kijken. Ik concentreer me op die aan naburige tafels en zij concentreert zich op de obers. Zij wordt gefascineerd door die grote lummels met een getailleerd gilet. Zij volgt hen met haar blikken, bedenkt à la Sautet een lot voor hen en ontleedt hun gestileerde manieren. Komisch genoeg komt er altijd een moment dat je er eentje wiens dienst erop zit de andere kant op ziet gaan. Hij lijkt nergens meer naar. De spijkerbroek of het onderstuk van een trainingspak hebben de grote witte voorschoot vervangen, en hij zegt zijn collega's in banale woorden gedag.

'Dag Bernard!'

'Dag Mimi. Ben je er morgen?'

'We zullen zien, schat.'

Lola slaat haar ogen neer en doopt haar vingers in haar bord. Tot ziens kalveren, koeien, varkens, Paul, François en de anderen…

We verloren elkaar een beetje uit het oog. Haar kostschool, haar studie, haar verlanglijst voor de bruiloft, haar vakanties bij haar schoonouders, haar etentjes…

De omhelzing was er, maar het ontbrak ons aan overgave. Ze was van kamp veranderd. Van team eerder. Ze speelde niet tégen ons, ze speelde in een divisie die ons een beetje verveelde. Een soort lullig cricket met een heleboel onbegrijpelijke regels waarbij je achter een geval aan rent dat je nooit te zien krijgt en dat nog pijn doet ook… Een geval van leer met een binnenste van kurk. (Hé, Lolo van me! Zonder het te willen heb ik net het hele verhaal verteld!)

Terwijl wij, 'de kleintjes', nog met simpeler schema's te maken hadden. Een mooi gazon → hieperdepiep! Drankjes en bokkensprongen. Grote jongens in witte polo's → jippie! Op je achterste slaan. Nou ja, je kent het wel… Niet echt rijp voor wandelingen rondom de Neptunusvijver…

We stuurden elkaar dus groetjes uit de verte. Ze maakte me peettante van haar eerste kind en ik scheepte haar op met mijn eerste liefdesverdriet (en gehuild dat ik heb, doopvonten vol…), maar tussen dit soort grote evenementen in gebeurde er niet veel belangrijks. Verjaardagen, familie-etentjes, een paar sigaretten zonder dat haar schattebout het zag, een medeplichtige knipoog, of haar hoofd op mijn schouder terwijl we naar dezelfde foto's keken…

Zo ging het leven… Dat van haar in elk geval. Respect.

En toen is ze naar ons teruggekomen. Overdekt met as en met de dwaze blik van de pyromane die het doosje lucifers terug komt brengen. Ze had zonder dat iemand het had verwacht echtscheiding aangevraagd. Gezegd moet worden dat ze zich niet in de kaart liet kijken, de schurk. Iedereen dacht dat ze gelukkig was. En ik geloof zelfs dat ze daarom werd bewonderd, dat ze zo snel en zo makkelijk de uitgang had weten te vinden. 'Lola heeft alles goed voor elkaar,' gaven we toe, zonder bitterheid en zonder jaloers op haar te zijn. Lola bleef het het beste doen bij *treasure hunt*…

En toen pats boem. Een ander programma.

Ze kwam onaangekondigd bij me aanzetten, op een voor haar ongebruikelijke tijd. Op de tijd van het badje en de verhaaltjes voor het slapen gaan. Ze huilde, ze vroeg vergeving. Ze dacht oprecht dat haar gezinnetje haar reden van bestaan op deze aarde was en dat de rest, heel de rest, dat wat in haar hoofd broeide, haar geheime leven en alle rimpeltjes van haar geest, niet zo belangrijk waren. Je moest vrolijk zijn en het juk dragen zonder dat het opviel. En toen dat moeilijker werd, waren er de eenzaamheid, het tekenen… de wandelingen, langer en langer, achter de kinderwagen, de boeken van de kinderen en het gezinsleven waarin je je zo gemakkelijk terug kon trekken.

Jawel. Supereenvoudig, het rode kippetje uit de kinderboeken als einde van de wereld…

Rood kippetje is goed in het huishouden:
Geen stofje op de meubels,
Bloemen in de vazen,
En voor de ramen mooie, goed gestreken gor-
dijnen.
Heerlijk, zo'n bezoek aan haar.

Alleen had ze dat rode kippetje, krggg, de nek omgedraaid.

Zoals iedereen was ik zeer verrast. Ik had er geen
woorden voor. Ze had zich nooit beklaagd, me
nooit verteld over haar twijfels en had net een
tweede schattig jongetje op de wereld gezet. Er
werd van haar gehouden. Ze had alles, zoals ze zeggen. Zoals de imbecielen zeggen.

Hoe moet je reageren wanneer je wordt meege-
deeld dat je zonnestelsel eraan gaat? Wat moet je in
dat geval zeggen? Het was verdorie zij die ons tot
nu toe de weg wees. Wij vertrouwden haar. Nou ja,
ik vertrouwde haar in elk geval. We zijn erg lang op
de grond blijven zitten en zopen mijn wodka op. Ze
huilde, herhaalde dat ze niet meer wist hoe het met
haar moest, zweeg en begon weer te huilen. Wat ze
ook besloot, ze zou ongelukkig zijn. Of ze nu weg-
ging of bleef, het leven was het niet meer waard te
worden geleefd.

Met de hulp van het veenreukgras schudde ik
haar uiteindelijk een beetje door elkaar. Hé! Zij

was niet de enige die deze ramp meemaakte! Wanneer het spelregelboekje zo dik is als een telefoongids en jij als een idioot rondrent over een stukje gazon zonder dat iemand je ondersteunt, niet hij in elk geval, staat het vast dat na een tijdje eh… Vooruit met de geit!

Ze luisterde niet naar me.

'En voor de kleintjes, kun… kun je nog niet een beetje volhouden?' mompelde ik uiteindelijk en gaf haar een nieuw pakje zakdoekjes aan. Door mijn vraag droogden haar tranen meteen. Snapte ik het dan niet? Dit offer was voor hen. Om te voorkomen dat zij zouden lijden. Zodat zij hun ouders nooit midden in de nacht zouden horen ruziën en huilen. En omdat je niet op kunt groeien in een huis waar ze niet meer van elkaar houden, zo is het toch?

Inderdaad. Dat kan niet. Groter worden misschien, maar niet opgroeien.

Het vervolg is smeriger. Advocaten, tranen, chantage, verdriet, slapeloze nachten, vermoeidheid, afstand nemen, schuldgevoel, het leed van de een tegen het leed van de ander, agressie, attesten, rechtbank, mensen die partij kiezen, hoger beroep, gebrek aan lucht en kop tegen de muur. En te midden van dat alles twee jongetjes met stralende ogen voor wie ze doorgaat de clown uit te hangen door voor hen, op de rand van het bed, verhalen te verzinnen over prinsen die graag scheten laten en heel stomme prinsessen. Dat was gisteren en de kooltjes zijn nog warm. Er hoeft niet veel te gebeuren of het uit verdriet ontstane verdriet leidt opnieuw tot tranen, en ik weet dat sommige ochtenden moeilijk zijn. Ze heeft me onlangs bekend dat ze, toen de kinderen naar hun vader waren, zichzelf lang heeft zien huilen in de spiegel in de gang.

Om zichzelf aan te lengen.

Dáárom wilde ze niet naar die bruiloft toe.

De confrontatie met de familie. Al die ooms, die oude tantes en verre neven en nichten. Al die mensen die niet zijn gescheiden. Die zich hebben geschikt. Die het anders hebben opgelost. Hun uitdrukking met vaag medelijden of met vage ontstelenis. Al die folklore. Het maagdelijk wit, de cantates van Bach, de uit het hoofd geleerde beloftes van eeuwige trouw, de knullige toespraken, de twee handen op hetzelfde mes en 'An der schönen blauen Donau' wanneer ze wankel op de beentjes beginnen te staan. Maar vooral: de kinderen. Die van anderen.

Die de hele dag alle kanten op rennen, de oren een beetje rood omdat ze de restjes uit glazen hebben opgedronken, ze maken hun mooie kleren vies en smeken niet meteen naar bed te hoeven.

De kinderen rechtvaardigen familiebijeenkomsten en zijn onze troost.

Naar hen kijken is altijd het leukst. Ze zijn altijd als eersten op de dansvloer en de enigen die durven zeggen dat de taart walgelijk is. Ze worden voor de eerste keer van hun leven smoorverliefd en vallen uitgeput op de schoot van hun moeders in slaap. Pierre had erejonker moeten zijn, hij had ontdekt dat zijn cybersabel perfect onder de grote riem stond, en vroeg zich af of hij na de collecte niet wat geld kon inpikken. Maar Lola had niet goed op de kalender van de rechter gekeken: het was haar weekend niet. Geen mandje en geen rijstgevecht op het kerkplein. We hadden haar voorgesteld Thierry te bellen om te kijken of ze van weekend kon ruilen. Ze had niet eens gereageerd.

Maar ze kwam! En Vincent rekende op ons! We konden met ons vieren aan een tafeltje achteraf gaan zitten met een paar achter een tent weggepikte flessen en commentaar geven op de hoed van tante Solange, de billen van de bruid en het ridicule gedrag van onze neef Hubert met zijn gehuurde hoge hoed die op zijn grote oren was geplant. (Zijn moeder had nooit iets willen horen over ze er opnieuw aanplakken, want 'je breekt het werk van God niet af'.) (Hé? Het is toch zo mooi als wat?)

De clan plakte weer aan elkaar. Het leven was weer tot vier mensen teruggebracht.

Schal, klaroenen! Zing, koekoeken! Wij zijn de kinderen uit Gascogne, uit Carbon en uit Castel-weet-ik-veel.

*

'Waarom neem je deze afrit?'

'We gaan Lola ophalen,' antwoordt Simon.

'Waar dan?' verslikt zijn liefje zich.

'Op het station van Châteauroux.'

'Is dat een grap?'

'Nee, helemaal niet. Ze is er over veertig minuten.'

'En waarom heb je het niet tegen me gezegd?'

'Dat ben ik vergeten. Ze heeft me net gebeld.'

'Wanneer?'

'Toen we op de parkeerplaats langs de snelweg stonden.'

'Ik heb niets gehoord.'

'Je was naar het toilet.'

'Ik snap het…'

'Wat snap je?'

'Niets.'

Haar lippen zeiden het omgekeerde.

'Is er een probleem?' deed mijn broer verbaasd.

'Nee. Geen probleem. Geen enkel probleem. Alleen moet je de volgende keer een lampje met taxi op het dak van de auto zetten, dan is het duidelijker.'

Hij reageerde niet. De gewrichten van zijn vingers verbleekten.

Carine had Léo en Alex bij haar moeder gelaten om, ik citeer, dubbelepunt, aanhalingstekens openen, *een weekend gezellig samen te zijn*, drie puntjes, aanhalingstekens sluiten.

Wat zou dat gezellig worden!

'En jullie… zijn jullie van plan in dezelfde hotelkamer als wij te slapen?'

'Nee, nee,' zei ik hoofdschuddend, 'maak je geen zorgen.'

'Hebben jullie iets gereserveerd?'

'Eh… Nee.'

'Uiteraard… Ik had niet anders gedacht, hoor.'

'Maar dat is geen probleem! We kunnen overal slapen! We slapen wel bij tante Paule!'

'Tante Paule heeft geen bedden meer. Dat heeft ze me eergisteren nog eens via de telefoon gezegd.'

'Dan slapen we niet, we zullen wel zien.'

Ze reageerde met een zijnjulhelemabetoet terwijl ze aan de franjes van haar pashmina friemelde.

Ik hield me doof.

Het zat niet mee, de trein had tien minuten vertraging, en toen eindelijk de reizigers uitstapten was er geen Lola te bekennen.

Simon en ik zaten in de rats.

'Weten jullie zeker dat jullie Châteauroux en Châteaudun niet door elkaar hebben gehaald?' kraakte de del.

Stel dat… Maar kijk… Helemaal op het eind van het perron. Ze zat in de laatste wagon, ze was stellig overhaast in de trein gestapt, maar ze wás er en stapte op ons af met zwaaiende armen.

Zo is zij en zo had ik verwacht haar te zien. Glimlach op de lippen, een beetje wiegelende gang, de balletschoentjes, het witte hemd en de oude spijkerbroek.

Ze droeg een waanzinnige hoed. Een enorme capeline afgezet met een brede band van zwarte zijde.

Ze kuste me. 'Wat ben je mooi,' zei ze, 'heb je je haren laten knippen?' Ze kuste Simon en streelde zijn rug, ze zette haar grote hoed af om de krullen van Carine niet te bederven.

Ze was gedwongen geweest in het rijtuig voor fietsen te reizen omdat ze geen plek had gevonden voor haar hoofddeksel en vroeg of we een omweg konden maken naar de stationsrestauratie om een sandwich te kopen. Carine keek op haar horloge en ik maakte van de gelegenheid gebruik een blaadje te kopen.

De roddelpers. Ons schandelijke snoepje…

We stapten weer in de auto. Lola vroeg aan haar schoonzuster of die haar hoed op haar schoot kon nemen. 'Geen probleem,' reageerde ze met een ietwat geforceerde glimlach. Geen probleem.

Mijn zus maakte een gebaar met de kin dat beduidde: wat is hier aan de hand? Ik hief de ogen ten hemel om te antwoorden: hetzelfde als altijd.

Ze glimlachte en vroeg aan Simon of hij muziek had.

Carine reageerde dat ze koppijn had.

Ik glimlachte ook.

Toen vroeg Lola of iemand lak had voor haar teennagels. Eén keer, twee keer, geen reactie. Ten slotte overhandigde onze favoriete drogiste haar een rood flaconnetje: 'Je let wel op de bekleding, hè?'

Toen vertelden we elkaar zusjesdingen. Ik sla dat hoofdstuk maar over. Er zijn allerlei codes, verkortingen en hinnikgeluiden. En het lukt trouwens toch niet zonder geluid.

Zussen begrijpen elkaar.

We waren ergens diep in de rimboe beland, Carine hield de kaart vast en Simon kreeg de volle laag. Op een gegeven moment zei hij: 'Geef die kutkaart aan Garance, zij is de enige in deze klotefamilie die richtinggevoel heeft!'

Achterin keken we elkaar fronsend aan. Twee grove woorden in één zin en een uitroepteken aan het eind… Dat ging niet goed.

Kort voor we het domein van tante Paule bereikten, tikte Simon voor ons een weggetje op de kop met bramen aan de kant. We wierpen ons erop terwijl we met trillende stem over de heggen bij het huis in Villiers spraken. Carine, die met haar reet in de auto was gebleven, wees ons erop dat de vossen erop pisten.

Waar we lak aan hadden.

Foutje…

'Uiteraard. Echinococcose zegt jullie niets. De larven van de parasieten worden via de urine overgedragen en…'

Mea culpa, mea maxima culpa, ik wond me een beetje op: 'Wat is dat voor onzin! Dat is bullshit in het kwadraat! Vossen hebben heel de natuur om in te pissen! Alle wegen! Alle bermen! Alle bomen en alle velden eromheen en dan pissen ze per se hier? Precies op onze bramen?! Maar dat slaat toch nergens op! Daar ga ik dood aan, weet je… Dáár word ik ziek van. Mensen als jij die altijd alles verpesten…'

Pardon. Mea culpa. Het ligt aan mij. Het ligt helemaal aan mij. Terwijl ik me had voorgenomen me netjes te gedragen. Ik had me voorgenomen kalm te blijven en eindeloos zen. Die ochtend nog, voor de spiegel, had ik mezelf met opgeheven wijsvinger gewaarschuwd: Garance, geen gedoe met Carine, hè? Je gaat haar voor ons nu eens niet de sfeer laten bederven. Maar ik ben toch bezweken. Het spijt me zeer. Neem me niet kwalijk. Ze heeft voor ons onze bramen bedorven en meteen ook ons beetje kindertijd. Ze heeft me te veel getergd. Ik kan haar niet uitstaan. Nog één opmerking en ik laat haar de sombrero van Lola opvreten.

Ze had stellig de scheet geroken, want ze deed het portier dicht en liet de motor lopen. Voor de airco.

Dat ergert me ook, mensen die als je stilstaat de motor niet afzetten, om warmte voor hun voeten te hebben of kou voor hun hoofd, maar laten we dit maar vergeten. We hebben het een andere keer nog wel over de opwarming van de planeet. Ze zat opgesloten, dat was al iets. Laten we positief blijven.

Simon strekte de benen terwijl wij ons omkleedden. Ik had dus een magnifieke sari gekocht in de passage Brady, vlak bij waar ik woon. Hij was turquoise, met gouddraad waren er parels en minuscule belletjes op geborduurd. Ik had een truitje met mouwgaten, een lange rok die heel nauw aansloot en een heel grote split had, en een soort grote lap om dat alles te omhullen.

Magnifiek.

Oorbellen met passementsstrookjes, allerlei amuletten uit Rajasthan om de hals, tien armbanden om de rechterpols en bijna twee keer zoveel om de linker.

'Dat staat je prachtig,' besloot Lola. 'Het is ongelooflijk. Jij bent de enige die je dit kunt permitteren. Je hebt zo'n mooie buik, zo plat, zo gespierd…'

'Nou…' straalde ik, terwijl ik erover wreef, 'op de zesde zonder lift…'

'Door mijn zwangerschappen is mijn navel tussen haakjes komen te staan… Je verzorgt je goed, hè? Je doet iedere dag crème op en…'

Ik haalde de schouders op. Mijn verrekijkertje kwam niet tot daar.

'Doe je m'n knoopjes dicht?' piepte ze en draaide zich om.

Lola droeg voor de zoveelste keer haar jurk van zwarte faille. Heel sober, met een rond decolleté, zonder mouwen en met duizend soutaneminiknoopjes op de rug.

'Je hebt geen kosten gemaakt voor het huwelijk van onze beste Hubert,' stelde ik vast.

Ze draaide zich met een glimlach om: 'Denk je…'

'Ja?'

'Noem eens een prijs voor de hoed.'

'Tweehonderd?'

Ze haalde haar schouders op.

'Hoeveel dan?'

'Ik kan het je niet vertellen,' kirde ze, 'het is te erg.'

'Hou eens op met dat idiote gelach, zo krijg ik je knoopjes niet dicht…'

Het was het jaar van de balletschoentjes. De hare waren soepel en voorzien van strikjes, de mijne waren met vergulde muntjes overdekt.

Simon klapte in zijn handen: 'Kom op, Bluebell Girls… In de auto!'

Om niet te struikelen hield ik me vast aan de armen van mijn zus en ik mompelde: 'Ik waarschuw je maar, als die sloerie me vraagt of ik naar een gekostumeerd bal ga, laat ik haar je hoed opvreten.'

Carine had de kans niet wat dan ook te zeggen omdat ik direct overeind kwam toen ik ging zitten. Mijn rok zat te strak en ik moest hem optillen, anders zou hij scheuren.

Met mijn string op de bank van alpacaviscose werd ik… hiëratisch.

We hebben ons opgemaakt in mijn poederdoosje terwijl onze nationale echinococcusspecialist in het spiegeltje van haar zonneklep bekeek of haar sierspelden goed zaten.

Simon smeekte ons niet alle drie tegelijk parfum op te doen.

We waren op tijd in Petaouchnok. Ik heb mijn rok achter de auto aangeschoten en we begaven ons naar het kerkplein onder de stomverbaasde ogen van de Petaouchnokkers achter de ramen.

De knappe jonge vrouw in grijs en roze die, daarginds, met oom Georges sprak, was onze moeder. We vielen haar om de hals, waarbij we opletten voor de tekens die haar kussen nalieten.

Diplomaat als ze was, omhelsde ze eerst haar schoondochter, die ze complimenteerde met haar kleding, vervolgens draaide ze zich met een lach naar ons toe: 'Garance… Je bent geweldig… Je mist alleen de rode punt midden op je voorhoofd!'

'Ze mist nog wel meer,' liet Carine zich ontvallen voor ze zich op het arme verwelkte oompje stortte, 'het is toch geen carnaval, voor zover ik weet…'

Lola maakte aanstalten me haar hoed aan te reiken en we proestten het uit.

Onze moeder richtte zich tot Simon: 'Zijn ze de hele weg zo onverdraaglijk geweest?'

'Nog erger,' stemde hij op ernstige toon in.

Hij vervolgde: 'En Vincent? Is die niet bij jou?'

'Nee. Hij is aan het werk.'

'Waar werkt hij?'

'Nou, nog steeds op zijn kasteel…'

Onze oudste broer kromp in één klap tien centimeter.

'Maar… Ik dacht… Nou ja, hij zei me dat hij zou komen…'

'Ik heb geprobeerd hem over te halen, maar vergeefs. Je weet, hij en gebakjes…'

Hij leek wanhopig.

'Ik heb een cadeau voor hem. Een onvindbare plaat. Ik had me er bovendien zo op verheugd hem te zien… Ik heb hem sinds de kerst niet gezien. Ach, wat spijt me dat nou… Ik ga maar een glas drinken, verdraaid…'

Lola grijnsde: 'Calamba. Hij is helegaal niet in volm, onze Simon…'

'Had ik het niet gedacht,' reageerde ik, terwijl ik miss Zuurpruim in de smiezen hield, die zich met al onze oude tantes bemoeide, 'had ik het niet gedacht…'

'Jullie zijn in elk geval prachtig, meisjes van me! Jullie beuren hem toch wel op, jullie laten jullie broer vanavond toch wel dansen?'

En ze verdween voor de gebruikelijke beleefdheden.

Wij volgden die kleine, verfijnde vrouw met onze ogen. Haar gratie, haar allure, haar energie, haar elegantie, haar klasse…

Een Parisienne…

Het gezicht van Lola betrok. Twee schattige meisjes renden lachend achter de stoet aan.

'Goed,' zei ze, 'ik denk dat ik naar Simon ga…'

En ik bleef als een gek midden op het plein achter, de slippen van de sari hingen er slapjes bij.

Niet voor lang, hoor, want onze nicht Sixtine

kwam kwebbelend op me af: 'Nou zeg, Garance! Hare krisjna! Ga je naar een gekostumeerd bal of zo?'

Ik heb maar zo'n beetje geglimlacht en me onthouden van commentaar op haar niet goed ontkleurde snor en haar appelgroene mantelpakje van Christine Laure uit Besançon.

Toen ze weg was, kwam tante Geneviève op me af: 'Mijn god, ben jij dat, m'n kleine Clémence? Mijn god, wat zit daar voor ijzeren geval in je navel? Dat zal toch wel pijn doen?'

'Goed,' zei ik tegen mezelf, 'ik ga naar Simon en Lola in het café…'

Ze zaten met z'n tweeën op het terras. Een biertje binnen handbereik, gezicht in de zon, en de benen wijd voor zich uit gestrekt.
Ik ben met een 'krak' gaan zitten en bestelde hetzelfde als zij.

Opgetogen, vredig, de lippen versierd met bierschuim keken we naar de luitjes in hun deuropeningen die afgaven op de luitjes voor de kerk. Een schitterend schouwspel.

'Hé, dat is daar toch niet de nieuwe vrouw van die klootzak van een Olivier?'

'Die kleine brunette?'

'Nee, het blondje naast Larochaufée…'

'Help! Ze is nog lelijker dan de andere. Zie die tas eens…'

'Namaak-Gucci.'

'Precies. En niet eens kwaliteit Ventimiglia. Namaak-Gucci uit Peking…'

'Dat ze zich niet schaamt.'

Zo hadden we nog lang kunnen doorgaan als Carine ons niet was komen halen: 'Komen jullie? Het gaat beginnen…'

'Ik kom, ik kom…' zei Simon, 'even m'n biertje opdrinken.'

'Maar als je niet meteen komt,' hield ze aan, 'hebben we slechte plaatsen en zie ik er niets van…'

'Ga jij maar vast, hoor. Dan kom ik zo.'

'Je maakt wel voort, hè?'

Ze was al twintig meter verderop toen ze schreeuwde: 'En loop even langs bij het kruideniertje om rijst te kopen!'

Ze draaide zich nog eens om: 'En niet zulke dure, hè? Geen Uncle Ben's nemen zoals de laatste keer! Want we gebruiken het alleen…'

'Jaja…' knorde hij in zijn baard.

We zagen de bruid al van ver, aan de arm van haar papa. Die er binnenkort een heleboel ratjes met Mickey-oren bij zou krijgen. We telden de laatkomers en klapten voor de koorknaap die keihard rende met zijn voeten in het koorhemd.

Toen de klokken niet meer luidden en de autochtonen terug waren bij hun wasdoeken, zei Simon: 'Ik zou zo graag Vincent zien…'

'Weet je, zelfs als we hem nu bellen,' reageerde Lola terwijl ze haar tas optilde, 'eer hij hier is…'

Op dat moment kwam een bruidsjongen langs met een flanellen pantalon met een streep aan de zijkant. Simon sprak hem aan: 'Hé daar! Wil je vijf potjes flipperen verdienen?'

'Ja…'

'Ga dan terug naar de mis en haal ons op als de preek is afgelopen.'

'Geeft u me het geld meteen?'

Droom ik? De jochies van tegenwoordig zijn ongelooflijk…

'Je bent wel een oplichtertje! Geen domme dingen doen, hè? Je haalt ons op?'

'Ik heb toch wel tijd om nu al een potje te flipperen?'

'Kom, ga maar,' zuchtte Simon, 'en dan richting orgel…'

'Oké.'

Zo zijn we nog even blijven zitten en toen vervolgde hij: 'Als we nu eens naar hem toe gingen?'

'Naar wie?'

'Naar Vincent natuurlijk!'

'Wanneer dan?' vroeg ik.

'Nu.'

'Nu?'

'Je bedoelt: nu?' herhaalde Lola.

'Ben je gek? Wil je de auto pakken en nu vertrekken?'

'Mijn beste Garance, ik geloof dat je de kern van mijn voorstel perfect samenvat.'

'Mafkees,' zei Lola, 'we kunnen toch niet zomaar weg?'

'Waarom niet?' (Hij zocht kleingeld in zijn zak.) 'Toe nou... Kom op, meisjes.'

We reageerden niet. Hij hief zijn armen ten hemel: 'We smeren 'm, hoor! We gaan ervandoor! We nemen de benen. We glippen weg en kiezen het hazenpad. We ontsnappen!'

'En Carine?'

Zijn armen gingen omlaag.

Hij pakte een pen uit zijn jasje en draaide zijn bierviltje om.

Wij zijn het kasteel van Vincent gaan bezoeken. Wil je het aan Carine doorgeven? Haar spullen liggen achter je auto. Kusjes.

'Hé, mannetje! We pakken het anders aan. Je hoeft niet naar de mis, maar je geeft dit aan de in het grijs geklede dame met een roze hoed, Maud heet ze, duidelijk?'

'Duidelijk.'

'En wat had je?'

'Twee *extra-balls.*'

'Herhaal eens wat ik zei.'

'Ik zet mijn naam bij de topscores en daarna geef ik uw bierviltje aan een dame met een roze hoed die Maud heet.'

'Je wacht haar op en geeft het haar wanneer ze de kerk uit komt.'

'Oké, maar dat wordt wel duurder…'

Hij lachte hard.

*

'Je hebt de beautycase vergeten.'

'Oei. We moeten terug. Dat vergeeft ze me nooit…'

Ik heb hem goed in het zicht op haar tas gezet en we zijn weer in een stofwolk vertrokken. Net of we een bankoverval hadden gepleegd.

In het begin durfden we niet te praten. We waren toch een beetje van streek en Simon keek elke tien seconden in zijn achteruitkijkspiegel.

Misschien verwachtten we de sirene van een politieauto te horen die achter ons aan was gestuurd door een in woede ontstoken, schuimbekkende Carine. Maar nee, niets. Diepe rust.

Lola zat voorin en ik leunde tussen hen beiden in. Iedereen wachtte tot de ander de pijnlijke stilte zou verbreken.

Simon had de radio aangezet en de Bee Gees mekkerden:

And we're stayin' alive, stayin' alive…
Ha, Ha, Ha, Ha… Stayin' alive, stayin' alive…

O, jeetje. Dit was te mooi om waar te zijn. Dit was een teken! Dit was de vinger Gods! (Nee, het was een verzoekje van Patou voor Dany om de dag te vieren dat ze elkaar in 1978 hadden ontmoet op het bal van Treignac, maar dat kregen we pas later te horen.) We herhaalden met z'n allen in koor: HA! HA! HA! HA! STAYIN' ALIIIIIIIIIII-VEU… terwijl Simon over de D114 zigzagde en zijn stropdas losknoopte.

Ik deed mijn broek weer aan en Lola overhandigde me haar hoed om die naast me te leggen.

Ze keek een beetje beteuterd vanwege de prijs die ze ervoor had betaald.

'Ach…' zei ik haar om haar te troosten, 'dan draag je hem toch op mijn bruiloft…'

Gelach – heeevig – in de cabine.

De sfeer was er weer. Het was ons gelukt de alien uit het ruimteschip te smijten.

We hoefden alleen nog het laatste lid van de bemanning terug te halen.

Ik zocht de negorij van Vincent op de kaart en Lola speelde voor dj. We hadden de keus tussen France Bleu Creuse en Radio Hazelhoen. Niet bepaald *sound system*, maar wat deed dat ertoe? We kletsten als idioten.

'Ik had je nooit tot zoiets in staat geacht,' zei ze ten slotte en draaide zich naar onze chauffeur.

'Hoe grijzer hoe wijzer,' glimlachte hij en pakte een van mijn sigaretten aan.

We reden al twee uur en ik stond op het punt hun over mijn verblijf in Lissabon te vertellen toen ik…

'Wat is dat?' tobde Lola.

'Zag je het dan niet?'

'Zag wat?'

'De hond.'

'Welke hond?'

'In de berm…'

'Dood?'

'Nee. In de steek gelaten.'

'Hé! Wind je niet zo op.'

'Nee, maar ik heb nu eenmaal zijn blik gezien, snap je?'

Ze snapten het niet.

Dat mormel had me nog gescand ook, dat wist ik zeker.

Ik werd er vreselijk gedeprimeerd door; toen herinnerde Lola ons weer aan onze ontsnapping door de muziek van *Mission: Impossible* luidkeels te verkrachten, waardoor ik er niet meer aan dacht.

Ik pakte de kaart, ik dagdroomde, ik zag de potjes van de afgelopen nacht weer voor me. Ik had me door de laatste ronde gebluft met *four of a kind*, maar goed… Ik had toch gewonnen.

Dat four of a kind viel nu op z'n plaats.

*

Toen we aankwamen, begon net de laatste rondleiding.

Een jonge vent, zo wit als een doek, nogal vies, en met een blik van een kalf in gelei, raadde ons aan ons bij de groep op de eerste etage aan te sluiten.

Er waren daar een paar verdwaalde toeristen, vrouwen met mollige dijen, een onderwijzerspaar gesteund door Mephisto, rechtschapen families, mopperende kinderen en een handjevol Hollanders. Ze draaiden zich allemaal om toen ze ons hoorden aankomen.

Vincent zag ons niet. Hij stond met de rug naar ons toe en sprak over zijn machicoulis met een vurigheid die we niet van hem kenden.

Eerste schok: hij droeg een versleten blazer, een ge-
streept hemd, manchetknopen, een halsdoekje in
de boord en een broek die twijfelachtig was maar
wel omslagen had. Hij was gladgeschoren en zijn
haar was naar achteren geplakt.

Tweede schok: hij verkocht onzin.

Dit kasteel zat al een aantal generaties in de familie. Tegenwoordig woonde hij er in zijn eentje, in
de hoop een gezin te stichten en de slotgrachten
op te knappen.

Er rustte een vloek op het oord, want het was
heimelijk gebouwd voor de minnares van de derde
bastaard van François I, een zekere Isaure de Haut-
Brébant, die volgens de verhalen vanwege hem gek
van jaloezie was, en als het haar uitkwam aan hek-
serij deed.

'…En je hoort nog steeds, dames, heren, op
nachten met een rosse maan in de eerste decade,
erg vreemde geluiden, een soort gereutel opstijgen
uit de kelders, waarin vroeger de kerkers zaten…

Bij de aanleg van de huidige keuken die u zo
meteen te zien krijgt, heeft mijn grootvader
beenderen aangetroffen die dateren uit de Hon-
derdjarige Oorlog en een paar daalders waarop
het zegel van Saint Louis was geslagen. Links van
u een tapijt uit de twaalfde eeuw, rechts van u een
portret van de beroemde courtisane. Let op het

moedervlekje onder het linkeroog, onweerleg-
baar teken van een of andere goddelijke vervloe-
king…

Geniet vooral van het magnifieke uitzicht vanaf
het terras… Op dagen dat het hard waait, zijn de
torens van Saint-Roch te zien…

Deze kant op, alstublieft. Pas op voor het afstap-
je.'

Knijp me eens, ik droom.

De toeristen keken aandachtig naar het moedervlekje van de heks en vroegen hem of hij 's nachts
nooit bang was.

'Wis en waarachtig, maar daarmee kan ik me
verdedigen!'

Hij wees naar de harnassen, hellebaarden,
kruisbogen en ook de knotsen die in het trappen-
huis waren opgehangen.

De mensen stemden ernstig in en de camera's
werden gericht.

Maar wat was dit voor waanzin?

Toen we hem passeerden bij het verlaten van het
vertrek, klaarde zijn gezicht op. Heel discreet natuurlijk. Een knikje, meer niet. Die verstandhouding van bloed en oude banden.

Het teken van de Groten.

Wij proestten het uit tussen de helmen en de haakbussen, terwijl hij verder doordraafde over de moeilijkheden die het onderhoud van zo'n gebouw opleverde... 'Vierhonderd vierkante meter dakbedekking, twee kilometer dakgoot, dertig kamers, tweeënvijftig vensters en vijfentwintig schoorstenen, maar... geen verwarming. Evenmin elektriciteit trouwens. En ook geen stromend water, nu u me daaraan herinnert. Vandaar het probleem, voor uw nederige dienaar, om een verloofde te vinden...'

De mensen lachten.

'...Hier een heel zeldzaam portret van de graaf van Dunois. Let op de wapenschilden die ook zijn aangebracht op het fronton van de grote trap in de noordwesthoek van de binnenplaats.

Dan komen we nu in een slaapkamer die in de achttiende eeuw is ingericht door mijn betovergrootmoeder, de markiezin van La Lariotine, die in de omgeving met windhonden ging jagen. Niet alleen met windhonden, jammer genoeg... En mijn arme oom de markies deed in allure niet onder voor dat mooie tienerhert dat u zojuist in de eetkamer kon bewonderen... Pas op, mevrouw, het is breekbaar. Daarentegen beveel ik u met klem aan een blik te werpen in het toiletkamertje... Borstels, zoutbusjes en zalfpotten zijn origineel... Nee, mejuffrouw, dat is een kamergemak uit het midden van de twintigste eeuw en dat is een bak om het vocht te absorberen...'

'…We staan nu bij het mooiste deel van het kasteel, de wenteltrap van de noordvleugel met een ring-vormig tongewelf. Een onvervalst meesterwerk uit de Renaissance…

Wilt u er alstublieft niet aan zitten, want de tijd doet z'n grote werk en duizend vingers, het spijt me, tellen even zwaar als één hamertje…'

Ik hallucineerde.

'Ik kan u helaas de kapel niet laten zien, die wordt gerenoveerd, maar ik vraag u nadrukkelijk mijn bescheiden optrekje niet te verlaten zonder een ronde door het park te maken, waar u ongetwijfeld de vreemde vibraties gewaarwordt die vrijkomen uit deze stenen. Ze waren, ik zeg het u nog maar eens, bestemd om de liefjes te huisvesten van ie-mand die het bijna tot het koningschap bracht en verstrikt raakte in de netten van een of andere ver-leidelijke heks…'

Er ging gemompel in het gezelschap op.

'…Voor wie wil, zijn er ansichtkaarten, fotosouve-nirs met harnas, en toiletten bij de uitgang van het park…'

'Ik wens u een prettige dag en ik ben zo vrij, dames en heren, u te vragen de gids niet te vergeten. Wat zeg ik, de gids? De arme dwangarbeider van dit pand! De bevoorrechte slaaf die u geen aalmoes vraagt, maar iets om in z'n onderhoud te voorzien tot de terugkeer van de monarchie.

Dank u.

Dank u, dames.

Thank you, sir…'

We volgden de groep, terwijl hij zich terugtrok door een verborgen deur.

De pummels waren in zijn ban.

We wachtten en rookten een sigaret.

De kerel bij de ingang hulde de kinderen in een gedeukt harnas en maakte een foto van hen met het wapen van hun voorkeur.

Twee euro per Polaroid.

Jordan! Pas op, straks steek je je zus een oog uit!

De kerel was superzen, superstoned of super-maf. Hij haastte zich langzaam en leek geheel vrij van zenuwen. Met een Gitane Maïs in een hoekje van z'n smoel en het petje van de Chicago Bulls achterstevoren opgezet, bood hij een nogal verwarrende aanblik. Een beetje *Fantasia chez les ploucs*.

Jordan! Leg dat ding neer!!!

Zodra de mensen vertrokken waren, pakte Super Mafkees een hark. Hij verdween, al kauwend op zijn peuk.

We begonnen ons af te vragen of het baronnetje van La Lariotine zich zou verwaardigen ooit te verschijnen…

Ik bleef maar hoofdschuddend herhalen: 'Ik hallucineer… Ik hallucineer… Nee, heus, ik hallucineer, dit…'

Simon bekeek geïnteresseerd het mechanisme van de ophaalbrug en Lola lapte een klimroos op.

Vincent kwam met een glimlach. Hij droeg nu een versleten zwarte jeans en een T-shirt van Sundyata.

'Hé, wat doen jullie hier eigenlijk?'

'We misten je erg…'

'Zo. Dat is aardig.'

'Gaat het?'

'Super. Maar moeten jullie niet naar de bruiloft van Hubert?'

'Ja, maar we hebben de verkeerde weg genomen.'

'Dat zie ik… Cool hoor.'

Zo was hij. Kalm, vriendelijk. Niet bijster aangedaan ons te zien, maar toch hartstikke tevreden.

Onze dwaze clown, onze Marsbewoner, ons broertje, onze eigen Vincent.

Cool hoor.

'Wat vinden jullie,' zei hij, terwijl hij zijn armen spreidde, 'van mijn kleine camping?'

'Wacht even, wat is dit allemaal voor dwaasheid?' vroeg ik hem.

'Hoezo? De dingen die ik vertel? Ach… Maar het is niet enkel dwaasheid. Isaure heeft werkelijk bestaan, alleen… Nou ja, ik weet niet zeker of ze hier heeft gezeten… Volgens de archieven was het eerder de negorij vlakbij, maar omdat het afgebrand is, het kasteel hier vlakbij… Het komt toch goed uit om haar weer een onderkomen te bezorgen, nietwaar?'

'Nee, maar die praatjes over je voorouders, je adellook en al die grove leugens die je hun zojuist op de mouw speldde?'

'O, dat…? Maar wat zouden jullie in mijn plaats doen? Ik ben hier begin mei aangekomen om het seizoen te doen. Het oudje zei me dat ze een kuur ging doen en dat ze bij terugkeer mijn eerste maand uit zou betalen. Sindsdien heb ik niets meer vernomen. Opoe is van de aardbodem verdwenen. Het is augustus en ik heb al die tijd niets gezien. Geen kasteelvrouwe, geen loonstrookje, geen postwissel, niets! En ik moet toch bikken! Daarom heb ik deze verlakkerij moeten verzinnen. Ik leef alleen van de fooien en fooien komen niet vanzelf. De mensen willen waar voor hun geld en zoals je kunt zien is het hier nu niet bepaald Disneyland… Dus haalt mijn persoontje de blazer en de zegelring tevoorschijn, en bestijgt hij de kantelen!'

'Het is gestoord.'

'Nou, dametje, wat moet dat moet…'

'En hij daar?'

'Dat is Nono. Hij wordt door de gemeente be-taald.'

'En eh… Hij is eh… Heeft hij ze wel allemaal op een rijtje?'

Vincent rolde ten slotte een sigaretje: 'Ik weet het niet. Het enige wat ik weet is dat het Nono is. Als je Nono begrijpt, lukt het wel. Anders wordt het lastig.'

'Wat doe je heel de dag?'

''s Morgens slaap ik, 's middags doe ik de rond-leidingen en de nacht is voor mijn muziek.'

'Hier?'

'In de kapel. Ik zal het jullie laten zien… En jul-lie? Wat doen jullie?'

'Nou, wij eh… niets. We wilden je uitnodigen in een restau…'

'Wanneer? Vanavond?'

'Natuurlijk, grote slimmerik! Niet na de volgen-de kruistocht!'

'Ach nee, vanavond zal niet lukken… Het is de bruiloft van Nono's nicht, en ik ben uitgenodigd…'

'Nou zeg, je gaat ons toch niet vertellen dat ons bezoek je slecht uitkomt?'

'Helemaal niet! Het is te gek dat jullie er zijn. We regelen het wel… Nono!'

De kerel draaide zich langzaam om.

'Denk je dat het een probleem is als mijn broer en mijn zusters vanavond komen?'

Hij staarde ons lang aan en toen vroeg hij: 'Dat is je broertje?'

'Zeker.'

'En zij? Dat zijn je zusjes?'

'Ja.'

'Zijn ze nog maagd?'

'Nono toch! Dat zeg je toch niet! Nono, verdorie… Denk je dat ze vanavond kunnen komen?'

'Bij wie?'

'God nog aan toe, die vent wordt m'n dood nog, zij natuurlijk!'

'Waar komen?'

'Op de bruiloft van Sandy.'

'Uiteraard. Waarom vraag je me dat?'

Hij wees naar me met zijn kin en vervolgde: 'Komt zij dan ook?'

Blup.

De vreselijke Gollem heeft het van me te pakken…

Vincent zat in de put.

'Hij wordt m'n dood nog. Laatst, ik weet niet hoe hij het voor elkaar heeft gekregen, maar er was een joch klem blijven zitten in het harnas en we hebben de brandweer moeten bellen… Lachen jullie er maar niet om, want jullie zitten niet elke dag met hem opgescheept…'

'Waarom ga je dan naar de bruiloft van z'n nicht?'

'Er zit niets anders op. Hij is heel gevoelig moeten jullie weten… Goed zo, goed zo, lach maar, maagden… Vertel eens, Simon, die twee lijken me nog altijd even erg… En verder geeft zijn moeder me een heleboel lekkers. Patés, groentes uit haar tuin, worsten… Zonder haar zou ik het niet volhouden.'

Ik hallucineerde.

'Goed, dat is niet het hele… Ik moet de kas opmaken, de plees schoonmaken, die mafkees helpen met het aanharken van de lanen en alle deuren sluiten.'

'Hoeveel zijn er?'

'Vierentachtig.'

'We helpen je wel…'

'Cool, wat aardig. Pak aan, daar is nog een hark en voor de toiletten neem je de waterslang…'

We staken de handen uit de mouwen van onze mooie kleren en gingen allemaal aan de slag.

*

'Ik geloof dat het wel mooi is zo. Jullie willen je baden?'

'Waar dan?'

'Er is daar een rivier…'

'Is die schoon?' vroeg Lola.

'Pissen de vossen erin?' vulde ik aan.

'Sorry?'

We waren niet bijster enthousiast.

'Jij gaat er wel heen?'

'Iedere avond.'

'Dan gaan we met je mee…'

Simon en Vincent liepen voorop.

'Ik heb een 33-toerenplaat van MC5 voor je.'

'Echt?'

'Ja…'

'Eerste persing?'

'Jawel…'

'Cool. Hoe heb je die op de kop getikt?'

'Niets is goed genoeg voor mijnheer, potverdikkie!'

'Ga jij baden?'

'Uiteraard.'

'En jullie, meisjes? Gaan jullie baden?'

'Niet zolang die maniak in de buurt is,' mompelde ik in Lola's oor.

'Neenee! We kijken wel naar jullie!'

'Hij is er,' piepte ik. 'Ik voel het. Hij loert naar ons van achter het gebladerte…'

Mijn zus grinnikte.

'Ik hallucineer. Ik zweer het je…'

'Het was ons al duidelijk dat je hallucineert, het was ons al duidelijk. Kom, ga zitten.'

Lola had *De Roddelaar* uit mijn tas gehaald en zocht onze horoscoop op.

'Je bent toch Waterman, nietwaar?'

'Wat? Hoezo?' vroeg ik en draaide me vlug om, om aan de onanist Nono te ontkomen.

'Goed… Luister je?'

'Ja.'

'*Wees op je hoede. In deze periode, gedomineerd door Venus in de Leeuw, kan er van alles gebeuren. Een ontmoeting, de grote Ontmoeting, degene die je ver- wacht is heel dichtbij. Wees je bewust van je charme en je sexappeal, en vooral: sta open voor elke mogelijk- heid. Je nogal harde karakter heeft je vaak parten ge- speeld. Het is tijd je romantische kant te accepteren.*'

Die idioot lachte zich kapot.

'Nono! Kom terug! Ze is er! Ze gaat haar ro- mant…!'

Ik legde mijn hand op haar mond.

'Wat een onzin. Ik weet zeker dat je het allemaal uit je duim zuigt…'

'Absoluut niet! Kijk dan zelf!'

Ik rukte haar het vodje uit de handen.

'Laat eens zien…'

'Hier, kijk… *gedomineerd door Venus in de Leeuw*, ik heb niets uit m'n duim gezogen…'

'Het is onzin…'

'Hoe dan ook, als ik jou was, zou ik toch op m'n hoede zijn…'

'Pfff… Dat gedoe is allemaal kolder…'

'Je hebt gelijk. We kunnen beter kijken wat er in Saint-Tropez gebeurt…'

'Wacht even… Je wilt me toch niet wijsmaken dat dit echte borsten zijn?'

'Inderdaad, dat wil ik je niet wijsmaken.'

'En heb je gezien dat… Hé daar!!! Simon, doorlopen of ik bel je vrouw.'

De jongens waren zich tegen ons komen uitschudden.

We hadden het kunnen vermoeden… Liever gezegd, ons kunnen herinneren… Vincent, zijn wangen vol water, achtervolgde Lola; zij schreeuwde dwars over de velden en strooide alle knopen van haar jurk in het rond.

Ik verzamelde vlug onze spulletjes en sloot me haastig bij hen aan, intussen riep ik oee, pftt en pssj naar alle struiken in de omgeving en maakte een bezwerend gebaar.

Achteruit, Beëlzebub.

Vincent liet ons in de bijgebouwen zijn privé-appartement zien.

Simpel.

Hij had een bed van de eerste etage gehaald – waar het te warm was – en had zijn tenten in de stal opgeslagen. Toevallig had hij de box van Charmeur uitgekozen.

Tussen Polka en Orkaan…

Hij was als een heer gekleed. Onberispelijk gepoetste schoenen. Een onvervalst wit herenkostuum uit de jaren zeventig. Verlaagde taille en een hemd van bleekroze zijde met zo'n scherpe boord dat het kriebelde in de opening. Het had iedereen belachelijk gestaan, hém stond het geweldig.

Hij ging zijn gitaar halen. Simon pakte het cadeau uit zijn kofferbak en we gingen naar het dorp.

Het avondlicht was heel mooi. Heel het land, oker, brons, oud goud, rustte uit van de lange dag. Vincent vroeg ons ons om te draaien om zijn donjon te bewonderen.

Prachtig.

'Dat menen jullie niet…'

'Zeker wel, zeker wel…' zei Lola, altijd bezorgd om de Universele Harmonie.

Simon zette in: 'O mijn kasteeeel, geen kasteeeel biedt zoveeeeeeel…'

Simon zong, Vincent lachte en Lola glimlachte. We liepen met z'n vieren midden op een heel warme weg bij het begin van een dorpje in het departement Indre.

Er hing een geur van teer, munt en gemaaid gras in de lucht. De koeien bewonderden ons en de vogels wilden aan tafel gaan.

Een paar gram geluk.

Lola en ik hadden hoed en vermomming weer aangedaan.

Zonder na te denken. Een bruiloft is een bruiloft.

Dat vertelden we elkaar in elk geval toen we de bestemming bereikten…

We gingen een te hete feestzaal binnen die nog naar zweet en oude sokken rook. De judomatten lagen in een hoek opgestapeld en de bruid was onder een basketbalmand gezeten. Ze zag eruit of ze een beetje van de kaart was door de gebeurtenissen.

Een tafelgezelschap als in de banketten van Asterix, landwijn uit een doos en muziek op volle sterkte.

Een dikke dame, helemaal ingepakt in ritselende stof, stortte zich op ons broertje: 'Aha! Daar ben je! Kom, jongen, kom! Nono heeft me verteld dat je je familie hebt meegebracht… Kom maar allemaal, deze kant op! O, wat zijn ze mooi! Wat een mooie hoed! En wat is dat kleintje mager! Hoe kan dat? Geven ze jullie niets te eten in Parijs? Ga toch zitten. Eten, kinderen. Goed eten. We hebben hier genoeg. Vraag aan Gérard of hij wat inschenkt voor jullie. Gérard! Kom eens hier, kerel!'

Het lukte Vincent nauwelijks zich van haar kussen te bevrijden en ik begon te vergelijken. Ik dacht aan het contrast tussen de vriendelijkheid van deze onbekende dame en de beleefde minachting van mijn oudtantes eerder. Ik hallucineerde...

'Moeten we misschien de bruid niet begroeten?'

'Inderdaad, begroet haar en kijk of jullie Gérard kunnen vinden... Die is toch nog niet onder een tafel gerold? Dat zou van slechte manieren getuigen.'

'Wat heb je voor cadeau?' vroeg ik aan Simon.

Hij wist het niet.

We kusten om beurten de bruid.

De bruidegom was zo rood als een kreeft en hij keek heel verbaasd naar het fantastische door Carine uitgekozen kaasplateau dat zijn vrouw uitpakte. Het was een ovalen geval met handvatten van plakjes druivenhout en uit plexiglas gegoten wijnrankblaadjes.

Hij leek niet bijster onder de indruk.

We zijn aan het uiteinde van een tafel gaan zitten en werden met open armen ontvangen door twee oompjes die al een aardig eindje heen waren.

'Gé-rard! Gé-rard! Gé-rard! Hé, kinderen! Haal eens wat te eten voor onze vrienden! Gérard! Waar hangt hij in godsnaam toch uit?'

Gérard verscheen met zijn doos en het feest begon.

Na de macedoine met mayonaise in een jakobsschelp, het schaap aan het spit in friet met mayonaise, de geitenkaas en de drie stukken bruiloftstaart schoof iedereen opzij om plaats te maken voor Guy Macroux en zijn schlagerorkest.

Wij voelden ons zielsgelukkig. Het oor gespitst en de kijkers wijd open. Aan de rechterkant opende de bruid met haar vader het bal, op Strauss met de trekharmonica, aan de linkerkant begonnen de oompjes vreselijk herrie te schoppen over het nieuwe inrijverbod voor bakkerij Pidoune.

Het was allemaal zo pittoresk.

Nee. Beter nog en minder neerbuigend: zo kostelijk.

Guy Macroux deed z'n best op Dario Moreno te lijken.

Snorretje met RégéColor, een flamboyant gilet, dure juwelen en een fluwelen stem.

Bij de eerste maten van de accordeon was iedereen op de vloer.

Ce qui lui va, c'est un p'tit tchachacha
  – Ah!
Ce qui lui faut, c'est un pas de mambo
  – Oh!
'Kom op! En nu met z'n allen!'
La la la la… la la la la la…
'Ik hoor niets!'
LA LA LA LA… LA LA LA LA LA…

'En achteraan! De oma's! Meezingen, meisjes!'
  Opidibi poï poï!

Lola en ik waren ontketend en ik moest mijn rok
ophouden om het ritme te volgen.

Zoals gewoonlijk dansten de jongens niet. Vincent probeerde een juffrouw te versieren met een
melkwit decolleté en Simon luisterde naar de verhalen over meeldauw van een oud opaatje.

Daarna kregen we *La jar'telle! La jar'telle! La
jar'telle!* met de uitspattingen en de grofheid met
dikke worsten. De jonge echtgenote was per krui-
wagen naar een pingpongtafel gebracht en… nou
ja… het is niet de moeite waard het te vertellen. Of
misschien ben ik te fijngevoelig.

Ik ging naar buiten. Parijs begon me te missen.

Lola kwam bij me voor *se moonlight cigarette.*

Een ietwat plakkerige figuur (dat wil zeggen

flink harig en glanzend van het zweet) kwam haar achterna, hij stond erop haar nog eens ten dans te vragen.

Een hawaïhemd met korte mouwen, een viscose pantalon, witte sokken met een tennisstreep en gevlochten mocassins.

Waanzinnig charmant.

En, en, en… ik vergat het bijna: het fameuze jack van zwart leer met borstzakjes! Drie zakjes links en twee rechts. Plus het mes aan de riem. Plus het mobieltje in een hoesje. Plus de oorring. Plus de *sun glassizes*. Plus de ketting om de portefeuille aan vast te maken. Minus de zweep.

Indiana Jones in hoogsteigen persoon.

'Stel je me voor?'

'Eh… Ja… Dus, eh… Mijn zuster Garance en eh…'

'Ben je m'n voornaam nu al vergeten?'

'Eh… Jean-Pierre?'

'Michel.'

'O, ja, Michel! Michel Garance, Garance Michel…'

'Dag,' zei ik, zo serieus als maar kon.

'Jean-Michel. Ik heet Jean-Michel… Jean zoals iedereen en Michel zoals de Mont Saint-Michel, maar het geeft niet, hoor… Dag! Jullie zijn dus zussen? Grappig dat jullie helemaal niet op elkaar lijken… Weten jullie zeker dat er niet een van de melkboer bij is?'

Is dat lachen!

Toen hij weg was, schudde Lola het hoofd: 'Ik kan er niet meer tegen. Ik heb de grootste lomperik van de streek opgeduikeld. En nog een fijngevoelige komiek ook… Zelfs dat radioprogramma *Les Grosses Têtes* zou hem niet willen hebben. Het is een ramp, die kerel…'

'Mondje dicht, hij komt terug.'

'Hé! Ken je die van de kerel met vijf lullen?'

'Eh… nee. Dat voorrecht is me ontgaan.'

'Het is dus een kerel, hij heeft vijf lullen.'

Stilte.

'En verder?' vroeg ik.

'Z'n slip paste hem als een handschoen!'

Help.

'En die van de hoer die niet pijpt?'

'Pardon?'

'Weet je wat ze doen met een hoer die niet pijpt?'

Vooral het gezicht van mijn zuster maakte me aan het lachen. Mijn zus die altijd zo'n klasse had met haar Yves Saint Laurent-vintage, haar mooie restanten van klassieke dans, haar gem en haar opvliegers zodra er van een papieren kleed moest worden gegeten… Haar stomverbaasde uitdrukking en ogen zo groot als schoteltjes van Sèvresporselein, het was grandioos.

'Nou?'

'Helaas niet. Ik geef de pijp aan Maarten…'

(Klasse én grappig. Ik ben weg van haar.)

'Nou, ze doen het niet. Ha! Ha! Ha!'

Hij was helemaal los… Hij draaide zich naar mij toe, terwijl hij zijn duimen in de zakken van zijn jasje stak: 'En jij? Die van de kerel die z'n hamster met isolatieband omwikkelt, ken je die?'

'Nee. Maar ik heb liever niet dat je me die vertelt, want hij is te smerig.'

'O, je kent hem dus wel?'

'Eh, ja, Jean Mont Saint-Michel, ik moet even met m'n zus praten…'

'Het is al goed, het is al goed, ik ben weg. Vooruit… Tot straks, dames!'

'Klaar? Is hij weg?'

'Ja, maar Toto neemt z'n plaats in.'

'Wie is dat?'

Nono zat op een stoel tegenover ons.

Hij hield ons in de gaten en wreef intussen met grote toewijding in de binnenkant van zijn broekzakken.

Mooi.

Het lag aan zijn gloednieuwe pak dat hem stellig op een zekere plaats irriteerde…

Heilige Lola wierp hem een glimlachje toe zodat hij zich op z'n gemak zou voelen.

Zoiets als: kiekeboe Nono. Wij zijn het, je nieuwe vrienden. Welkom in ons hart…

'Jullie zijn nog maagd?' vroeg hij.

Een heuse obsessie van hem… (Verbaast me niets!)

Soeur Sourire werd niet van haar stuk gebracht: 'Maar u bent toch de bewaker van het kasteel?'
    'Kop dicht, jij. Ik heb het tegen die met de grote tieten.'

Ik wist het. Ja, ik wist het. Dat we er later om zouden lachen. Dat we wanneer we oud zijn en beseffen dat we onze bilgymnastiek nooit serieus hebben beoefend, we het in onze broek doen wanneer we aan deze avond terugdenken. Maar op dit moment kon ik er helemaal niet om lachen omdat… omdat Nono een beetje uit de hoek kwijlde waarin hij geen peuk had, en dat was echt deprimerend. Het straaltje speeksel dat maar in het maanlicht bleef druipen…

Gelukkig verschenen Simon en Vincent toen.
    'Gaan we?'
    'Goed idee.'
    'Ik kom zo bij jullie, ik ga mijn schoffel pakken.'

Tout l'amour que j'ai pour touâââà…
    Wap dou ouâ douâ douâ… Wap dou ouâ…
    De stem van Guy Macroux weerklonk door heel het dorp en wij dansten tussen de auto's.
    Mes criiiiis de joiâââââââ, je te les doiâââ-âââââ…

'Waar gaan we heen?'

Vincent ontweek het kasteel en sloeg een duistere weg in.

'Een laatste glas drinken. Een soort *after* als je het liever zo noemt… Zijn jullie moe, meisjes?'

'En Nono? Komt die ons achterna?'

'Welnee… Vergeet hem… Maar goed, komen jullie?'

Het was een zigeunerkamp. Er waren zo'n twintig caravans, de een nog langer dan de ander, grote witte bestelwagens, wasgoed, verenbedden, fietsen, kinderen, teilen, banden, schotelantennes, televisies, kookpannen, honden, kippen en zelfs een zwart varkentje.

Lola was ontsteld: 'Het is al na middernacht en de kinderen zijn nog op. Arme kleintjes…'

Vincent lachte. 'Vind je soms dat ze een ongelukkige indruk maken?'

Ze lachten, renden alle kanten op, en stortten zich op Vincent. Ze vochten om zijn gitaar te mogen dragen en de meisjes namen ons bij de hand.

Ze vonden mijn armbanden fascinerend.

'Ze komen uit Saintes-Maries-de-la-Mer… Ik hoop dat ze weer weg zijn voor het oudje terugkomt, want ik heb hun gezegd dat ze hier konden gaan staan…'

'Het lijkt wel Kapitein Haddock in *De juwelen van Bianca Castafiore*,' grinnikte Simon.

Een oude zigeuner omarmde hem.
'Daar ben je, jongen.'

Hij zat tussen de families, vadertje Vincent… Geen wonder dat hij neerkeek op die van ons.

Nadien ging het zoals in een film van Kusturica voor die het hoog in z'n wapens kreeg.
De oude mannen zongen dieptreurige liedjes waarvan je maag omdraait, de jongeren klapten in hun handen en de vrouwen dansten rond het vuur. De meesten waren dik en wansmakelijk uitgedost, maar wanneer ze bewogen draaide alles rondom hen.

De kinderen bleven overal heen rennen, de opoes keken tv en wiegden intussen de zuigelingen. Ze hadden bijna allemaal gouden tanden en glimlachten breed om die aan ons te vertonen.
Vincent was bij hen een soort pasja. Hij speelde met de ogen dicht, net een beetje geconcentreerder dan gewoonlijk om hun toonhoogte en afstand te bewaren.
De oude mannen hadden nagels als klauwen en hun gitaren waren een beetje hol op de plaats waar ze eraan krabden.
Tdzwing tdzwing, tok.

Ook al snapte je er niets van, je kon de woorden gemakkelijk raden…

O, mijn land, waar ben je? O, mijn liefde, waar ben je?
O, mijn vriend, waar ben je? O, mijn zoon, waar ben je?

Met een vervolg dat stellig hierop neerkwam:

Ik verloor mijn land, ik heb alleen de herinnering.
Ik verloor mijn liefde, ik heb alleen de pijn.
Ik verloor mijn vriend, ik zing voor hem.

Een oude vrouw bracht ons verschaald bier. We hadden ons glas amper leeg of ze kwam weer aangestormd.

Lola's ogen schitterden, ze had twee kinderen op haar schoot en wreef met haar kin tegen hun haren. Simon keek me glimlachend aan.

We hadden sinds vanochtend met z'n tweeën een hele weg afgelegd…

Oeps, daar was het vrolijke opoetje weer met haar lauwe Valstar…

Ik gebaarde naar Vincent om te achterhalen of hij iets te roken had, maar hij maakte me duidelijk:

sst, later. Nou, wel een contrast… Bij lui die hun kroost niet naar school sturen, die misschien een kleine Mozart in deze hut verloren laten gaan en die het niet al te nauw nemen met de wetten van ons, ijverige huismussen, rook je geen gras.

Bij de heilige Merco-Benz, bij ons gebeurt dat niet.

*

'Meisjes, jullie kunnen alleen op het bed van Isaure slapen…'

'Met het gereutel dat opstijgt uit de oude kerkers? Nee, bedankt.'

'Maar dat is allemaal onzin!'

'En die mafkees die de sleutels heeft? Geen sprake van. We slapen bij jullie!'

'Oké, oké, wind je niet op, Garance…'

'Ik wind me niet op! Het komt alleen omdat ik nog maagd ben!'

Hoe vermoeid ik ook was, ik wist hen toch aan het lachen te maken. Ik was nogal trots op mezelf.

De jongens sliepen bij Charmeur en wij bij Orkaan.

Simon maakte ons wakker, hij was croissants gaan halen in het dorp.

'Bij Pidoule?' vroeg ik hem geeuwend.

'Bij Pidoune.'

Die dag liet Vincent de hekken dicht.

Gesloten in verband met vallende stenen, schreef hij op een stuk karton.

Hij liet ons de kapel zien. Nono en hij hadden de piano van het kasteel vlak voor het altaar gezet, en alle engelen uit de hemel moesten wel swingen op het ritme.

We hadden recht op een klein concert.

Het was grappig daar op een zondagochtend te zijn. Gezeten op een bidstoel. Bezadigd en mediterend in het licht van de ramen om een nieuwe versie te beluisteren van klop, klop, klop on heaven's door…

Lola wilde het kasteel van onder tot boven bezichtigen. Ik vroeg aan Vincent zijn show voor ons te herhalen. We lagen krom van het lachen.

Hij liet ons alles zien: het verblijf van de kasteelvrouwe, haar korsetten, haar stilletje, haar rattenvallen, haar recepten voor rattenpastei, haar fles jajem en haar oude *Bottin mondain* die helemaal vet was door het vele bepotelen. En vervolgens de provisiekast, de kelder, de bijgebouwen, de tuigkamer, het jachtpaviljoen en de oude gang langs de vestingwerken.

Simon was verrukt over hoe ingenieus de architecten en andere specialisten in fortificaties waren. Lola botaniseerde.

Ik zat op een stenen bank en keek naar hen drieën.

Mijn broers die met de ellebogen op de gracht-muren leunden... Simon betreurde vast het laat-ste wonder dat hij had gedownload... O, was Sis-seul Deubelyou er maar bij... Vincent kon vast zijn gedachten lezen, want hij verklaarde: 'Vergeet je boten... Er zitten daar monsterachtige karpers in... Ze zouden ze binnen de kortste keren opvre-ten...'

'Meen je dat?'

Dromerige stilte om het korstmos op de balus-trade te strelen...

'Integendeel,' mompelde onze kapitein Ahab ten slotte, 'daardoor zou het nog veel grappiger worden... Ik moet een keer terug met Léo... Dikke vissen dat speelgoed laten verzwelgen wat hij nooit aan mocht raken zou voor ons allebei wel eens het beste kunnen zijn...'

Ik hoorde het vervolg niet, maar ik zag dat ze de handpalmen tegen elkaar sloegen, alsof ze een mooie zaak beklonken.

En mijn Lola op haar knieën tekende tussen de margrieten en de lathyrus... De rug van mijn zus, haar grote hoed, witte vlinders die zich daarop waagden, haar haren bijeengehouden met een penseel, haar nek, haar armen die door een recente scheiding vermagerd waren en de onderkant van haar T-shirt dat ze gebruikte om haar verf te doezelen. Dat palet van wit katoen dat ze geleidelijk beschilderde…

Nooit heb ik mijn fototoestel zo gemist.

Je kunt het aan de vermoeidheid toeschrijven, maar ik betrapte me erop sentimenteel te worden. Een enorme golf tederheid voor die drie daar en een voorgevoel dat we met het laatste hoofdstuk van onze kindertijd bezig waren…

Al bijna dertig jaar zorgden ze dat mijn leven mooi was… Wat zou er zonder hen van me worden? En stel dat het leven ons uiteindelijk scheidde?

Zo gaat het toch? De tijd scheidt toch mensen die van elkaar houden en niets houdt toch stand?

Wat wij nu beleefden, en we beseften dat alle vier, was een overschotje. Uitstel, iets tussen haakjes, een moment van genade. Een paar van anderen gestolen uren…

Hoe lang zouden we nog de energie hebben om ons op deze manier te ontrukken aan het dagelijks leven en te ontsnappen? Hoe vaak zou het leven ons nog toestemming geven? Hoe vaak konden we nog een lange neus maken? Hoeveel restjes waren er nog? Wanneer zouden wij elkaar verliezen en hoe zouden de banden losser worden?

En: hoeveel jaar voor we oud waren?

Ik weet dat we het allemaal beseften. Ik weet hoe wij zijn.

Uit schaamte zwegen we erover, maar we wisten het op dat moment in ons bestaan.

Dat we aan de voet van die kasteelruïne het eind van een tijdperk beleefden en dat het uur van verandering aanbrak. Dat deze verstandhouding, deze tederheid, deze ietwat ruwe liefde, moest eindigen. Los moest raken. De handpalm openen en eindelijk volwassen worden.

Ook de Daltons moesten elk hun eigen kant op gaan in de ondergaande zon…

Stommeling die ik ben, had ik mezelf in m'n eentje bijna aan het huilen gemaakt. Toen zag ik iets aan het eind van de weg…

Maar wat was dat voor ding?

Ik ging overeind staan en kneep de ogen samen.

Een dier, een beestje bewoog zich moeizaam mijn kant op.

Was hij gewond? Wat was het?

Een vos?

Een door Carine gestuurde vos met een flesje urine?

Een konijn?

Het was een hond.

Het was niet te geloven.

Het was de hond die ik gisteren vanuit de auto

had gezien en die was opgelost in de achterruit…

Het was de hond wiens blik de mijne wel honderd kilometer van hier had gekruist.

Nee. Het kon hem niet zijn… Maar het was hem wel…

Nou, ik kom nog in dat beroemde hondenprogramma!

Ik ging op mijn hurken zitten en stak hem mijn hand toe. Hij had niet eens de kracht meer om te kwispelen. Hij zette nog drie stappen en plofte tussen mijn benen neer.

Een paar tellen bleef ik onbeweeglijk. Ik was de kluts kwijt.

Een hond ging aan mijn voeten sterven.

Maar nee, uiteindelijk zuchtte hij moeizaam en probeerde aan zijn poot te likken. Hij bloedde.

Lola kwam, ze zei: 'Maar waar komt die hond vandaan?'

Ik hief mijn hoofd naar haar en antwoordde met een bleek stemmetje: 'Ik hallucineer.'

We gingen nu alle vier voor hem zorgen. Vincent ging water voor hem halen, Lola maakte een prak voor hem klaar en Simon had een kussen gestolen uit de kleine gele salon.

Hij zoop als een ketter en liet zich in het stof vallen. We hebben hem naar de schaduw gebracht.

Wat een idioot verhaal.

We maakten iets te picknicken klaar en gingen naar de rivier.

Het idee dat de hond waarschijnlijk de pijp uit zou zijn als wij terugkwamen, stemde me treurig. Maar goed… Hij had een mooie plek uitgekozen… En superklaagvrouwen…

De jongens hadden de flessen tussen de stenen aan de waterkant geklemd, terwijl wij een deken uitspreidden. We gingen zitten en Vincent zei: 'Verdraaid, daar is hij weer…'

De hond had zich opnieuw naar me toe gesleept. Hij rolde zich op tegen mijn dij en viel snel weer in slaap.

'Ik geloof dat hij probeert je iets duidelijk te maken,' zei Simon.

Ze lachten alle drie en staken de draak met me: 'Toe, Garance, trek niet zo'n lang gezicht. Hij houdt van je, meer niet. Kom op… Cheese… Zo'n ramp is het niet.'

'Maar wat moet ik volgens jullie met een fikkie beginnen?! Zien jullie me al met een hond in mijn minuscule studio op de zesde etage?'

'Je kunt er niets tegen doen,' zei Lola, 'denk aan je horoscoop… Je wordt gedomineerd door Venus in Leeuw en je moet je erbij neerleggen. Dit is de grote ontmoeting waarop je je moest voorbereiden. Ik heb het je toch voorspeld…'

Ze lachten nog harder.

'Zie het als een teken van het lot,' zei Simon, 'die hond komt je redden…'

'…zodat je een gezonder leven krijgt, evenwichtiger,' deed Lola er een schepje bovenop.

'…zodat je 's morgens moet opstaan om hem te laten pissen,' vervolgde Simon, 'je een joggingpak aanschaft en ieder weekend de natuur in gaat.'

'Zodat je vaste tijden krijgt, zodat je je verantwoordelijk voelt,' oordeelde Vincent.

Ik stond perplex.

'Ik ga niet joggen, verdorie…'

Vincent ontkurkte een fles en zei ten slotte: 'Hij is nog schattig ook…'

Jammer genoeg vond ik dat ook. Kaal, mottig, sjofel, korstig, haveloos, een bastaard, maar… schattig.

'Ik mag toch hopen dat je na alles wat hij heeft gedaan om je terug te vinden niet het hart hebt om hem in de steek te laten?'

Ik boog me voorover om hem te bekijken. Hij stonk toch een beetje…

'Ga je hem naar de dierenbescherming brengen?'

'Ach… Waarom ik? Mag ik je erop wijzen dat we hem samen hebben gevonden?'

'Kijk eens!' riep Lola uit. 'Hij glimlacht naar je!'

Fuck. Het was waar. Hij draaide zich om, bewoog zwakjes zijn staart en hief zijn ogen in mijn richting.

O… Waarom toch? Waarom ik? En zou hij wel in het mandje van mijn fiets passen? En dan nog de conciërge die al zo boos was…

En wat eet dat?

En hoeveel jaar leeft dat?

En het schepje om de drollen te verzamelen? De rollijn, de debiele gesprekken met alle buren die na de film de hond uit gaan laten en de apparaten voor poepzakjes?

Lieve Heer…

De bescheiden bourgueil was lekker koud. We knabbelden de kaantjes, beten in boterhammen zo dik als een dekbed besmeerd met rilette, genoten van de lauwe en zoete tomaten, van grijze piramidevormige geitenkaas en peren uit de boomgaard.

We voelden ons goed, met het geklok van het water, het geluid van de wind in de bomen en het gebabbel van de vogels. De zon speelde met de rivier, laaide hier op en verdween daar, torpedeerde de wolken en rende over de oevers. Mijn hond droomde, grommend van geluk, van het asfalt van de Lichtstad, en de vliegen treiterden ons.

We praatten over dezelfde dingen als tien jaar geleden, als vijftien of als twintig jaar geleden, dat wil zeggen: de boeken die we hadden gelezen, de films die we hadden gezien, de muziek die we hadden gehoord en de sites die we hadden ontdekt. Over Gallica, al die nieuwe schatten online, musici die ons verbluften, trein-, concert-, vrijkaartjes die we ons in onze dromen gunden, tentoonstellingen die we noodgedwongen zouden mislopen, onze vrienden, vrienden van onze vrienden, en liefdesgeschiedenissen die we al dan niet hadden meegemaakt. Vaak niet trouwens, en daarin waren we het best. In daarover te vertellen, bedoel ik. Uitgestrekt in het gras, belaagd, gekust door allerlei soorten beestjes spotten we met onszelf, terwijl we last hadden van lachbuien en de brandende zon.

En vervolgens spraken we over onze ouders. Zoals altijd. Over Mama en over Pop. Over hun nieuwe levens. Over hun liefdes en onze toekomst. Om kort te gaan, over die paar kleinigheden en die paar mensen die ons leven vulden. Het was niet groot of groots en toch… kwam er geen eind aan.

Simon en Lola vertelden ons over hun kinderen. Hun ontwikkeling, hun stommiteiten en de zinnen die ze ergens zouden moeten opschrijven eer ze die vergaten. Vincent had het lang over zijn muziek, moest hij verdergaan? Waar? Hoe? Met wie? En waarop mocht hij dan hopen? En ik heb hun verteld over een nieuwe medehuurder, die, jazeker, papieren had, over mijn werk, over mijn probleem om als een goede rechter te redeneren. Zo veel jaar gestudeerd en uiteindelijk zo weinig zelfvertrouwen, dat was verwarrend.

Had ik geen wissel gemist? Waar was het misgegaan? En wachtte er ergens iemand op me? De drie anderen moedigden me aan, schudden me een beetje door elkaar en ik deed of ik instemde met hun welwillendheid.

We werden trouwens allemaal door elkaar geschud en deden allemaal of we instemden.

Het leven was nu eenmaal toch een beetje bluf, nietwaar?

Die te korte speeltafel en die ontbrekende fiches. Die te zwakke kaarten waardoor we niet altijd konden meegaan… Wij vieren pasten goed bij elkaar met onze grote dromen en onze huur die elke maand op de vijfde moest worden betaald.

Daarom openden we nog maar een fles om moed te krijgen!

Vincent maakte ons aan het lachen met de verhalen over zijn laatste mislukkingen in de liefde: 'Maar wat zouden jullie in mijn plaats doen? Een meisje dat ik al twee maanden naloop, waarop ik zes uur voor haar faculteit heb gewacht, dat ik al drie keer naar een restaurant heb meegenomen, dat ik al twintig keer naar huis heb gebracht in Nergenshuizen en dat ik voor honderdtien ballen per plaats voor de opera heb uitgenodigd! Verdorie nog aan toe!'

'En is er nooit iets gebeurd tussen jullie?'

'Niets. Nada. Nothing. Dat is toch balen! Tweehonderdtwintig euro! Denk eens aan alle platen die ik voor dat geld had kunnen krijgen!'

'Ik begrijp haar, hoor, met een kerel die zulke zielige rekensommen maakt…' spotte Lola.

'Maar… heb je geprobeerd haar te kussen?' vroeg ik argeloos.

'Nee. Ik durfde niet. Dat is juist zo lullig…'

We staken er hevig de draak mee.

'Ik weet het. Ik ben verlegen, het is stom…'

'En hoe heet ze?'

'Eva.'

'Wat is haar nationaliteit?'

'Geen idee. Ze heeft het me wel gezegd, maar ik begreep het niet…'

'Aha… En eh… Heb je het gevoel dat je toch een kans maakt?'

'Moeilijk te zeggen… Ze heeft me wel foto's van haar moeder laten zien…'

Zo kon-ie wel weer.

Wij rolden ons door het gras terwijl het steentje keilen van Don Juan mislukte.

'Ach…' smeekte ik, 'krijg ik die van je?'

Lola scheurde een bladzij uit haar schetsboekje en overhandigde me die terwijl ze de ogen ten hemel hief.

Zij was erin geslaagd de grote adel te vangen van mijn heldhaftige rattenvanger die kwijnend in de zon lag. De enige man, bedenk ik nu, die me ooit zo standvastig achterna heeft gezeten…

De volgende tekening was een heel aardig zicht op het kasteel.

'Vanuit de *jardin anglais*…' lichtte Vincent toe.

'We zouden hem naar Pop moeten sturen en hem een woordje moeten schrijven,' stelde zuster Lola voor.

(Onze Pop had geen mobieltje.) (Let wel, hij had ook nooit een vaste telefoon gehad…)

Dit was voor de zoveelste keer een goed idee van haar en zoals altijd en eeuwig schaarden we ons achter de witte helmbos van onze oudste zus.

Het leek wel de achterbank van een autobus aan het slot van een vakantiekamp. Pen en papier gingen van hand tot hand. Vergezeld van gedachten, groeten, genegenheid, stommiteiten, kleine harten en dikke kussen.

Het probleem – maar dat lag niet aan onze Pop, het lag aan mei '68 – was dat we niet precies wisten waar die heen moest, onze brief.

'Ik geloof dat hij op een werf in Brighton zit…'

'Geen sprake van,' schertste Vincent, 'daar is het te koud! Hij heeft tegenwoordig reumatiek, opatje! Hij zit in Valencia met Richard Lodge.'

'Weet je het zeker?' vroeg ik verbaasd. 'De laatste keer dat ik hem sprak, ging hij naar Marseille…'

'…'

'Goed,' hakte Lola de knoop door, 'ik laat hem in m'n tas zitten en de eerste die een spoor heeft, geeft de informatie door.'

Stilte.

Maar Vincent krabbelde een paar akkoorden zodat we die niet hoorden.

In een tas…

Al die gesmoorde kussen. Al die met sleutels en chequeboeken opgesloten harten.

Onder de straatstenen, helemaal niets.

Gelukkig had ik mijn hond! Hij was overdekt met vlooien en likte nauwgezet zijn kloten.

'Waarom glimlach je, Garance?' vroeg Simon me, om de blues toe te dekken.

'Nergens om. Ik bof alleen zo…'

Mijn zus had haar verf weer gepakt, de jongens gingen zwemmen en ik keek naar mijn schatje dat steeds meer tot leven kwam naarmate ik hem stukken met rilette besmeerd brood gaf.

De schurk spuugde het brood weer uit.

'Hoe ga je hem noemen?'

'Geen idee.'

Het was Lola die de aanzet gaf om te vertrekken. Ze wilde niet te laat zijn vanwege het overdragen van de kinderen en we merkten al dat ze zenuwachtig was. Erger dan zenuwachtig trouwens, ongerust, wazig, met een glimlach tegen heug en meug.

Vincent gaf me de iPod terug, zoals hij me maanden geleden had aangekondigd: 'Alsjeblieft, ik heb je deze compilatie al zo lang geleden beloofd…'

'Ach, dankjewel! Heb je er alles op gezet wat ik mooi vind?'

'Nee. Niet alles uiteraard. Maar je zult merken dat het mooi is…'

We kusten elkaar en gaven elkaar idiote steekjes onder water om het niet te lang te maken en sloten ons toen in de auto op. Simon nam de slotgrachten en remde toen pas af. Ik boog me uit het raampje en riep: 'Hé! Charmeur!'

'Wat is er?'

'Ik heb ook een cadeau voor jou!'

'Wat dan?'

'Eva.'

'Hoezo Eva?'

'Ze komt overmorgen met de bus uit Tours.'

Hij rende onze kant op.

'Wat? Wat is dat voor onzin…'

'Het is geen onzin. We hebben haar meteen gebeld toen jij ging zwemmen.'

'Liegbeesten…' (Hij zag helemaal wit.) 'Hoe zijn jullie om te beginnen achter haar nummer gekomen?'

'We hebben in de lijst van je mobieltje gekeken…'

'Dat kan toch niet?'

'Je hebt gelijk. Dat kan niet. Maar ga in ieder geval naar de bushalte voor het geval dat.'

Hij zag helemaal rood.

'Maar wat hebben jullie haar verteld?'

'Dat je in een groot kasteel woont en dat je voor haar een schitterende solo hebt gecomponeerd en dat ze die moet horen omdat je voor haar in een kapel gaat spelen en dat het super-*romantitchno* gaat worden…'

'Super-wat?'

'Dat is Servo-Kroatisch.'

'Ik geloof jullie niet.'

'Jammer voor je. Dan knapt Nono het wel op…'

'Is het waar, Simon?'

'Geen idee, maar ik acht die twee harpijen tot alles in staat…'

Hij zag helemaal roze.

'Echt? Komt ze overmorgen?'

Simon gaf weer gas.

'Met de bus van 18.40!' preciseerde Lola.

'Bij Pidoule voor de deur!' brulde ik over haar schouder.

Toen hij helemaal uit de achteruitkijkspiegel was verdwenen, zei Simon: 'Garance?'

'Wat is er?'

'Pidou-ne.'

'O ja, sorry. Kijk, dat is die maniak… Rij hem overhoop!'

We wachtten met naar het cadeau van Vincent te luisteren tot we op de snelweg waren.

Lola besloot ten slotte Simon te vragen of hij gelukkig was.

'Je vraagt me dat vanwege Carine?'

'Een beetje…'

'Jullie moeten weten… Thuis is ze veel aardiger… Wanneer jullie erbij zijn, wordt ze onuitstaanbaar. Ze is jaloers, denk ik… Ze is bang van jullie. Ze gelooft dat ik meer van jullie houd dan van haar… en verder vertegenwoordigen jullie alles wat zij niet is. Ze raakt van streek door jullie gekke kant. Jullie *Demoiselles de Rochefort*-kant… Ze heeft last van remmingen, denk ik. Ze heeft het idee dat het leven voor jullie net een groot speelplein is en dat jullie nog altijd de zeer populaire schoolmeisjes zijn die vroeger met haar spotten omdat ze de beste van de klas was. Die mooie meisjes, onafscheidelijk, leuk, en heimelijk bewonderd.'

'Ze moest eens weten…' zei Lola en ze leunde tegen het raam.

'Maar ze weet het juist niet. Als het om jullie gaat, voelt ze zich volkomen afgedankt. Ze is inderdaad soms onuitstaanbaar, maar ik ben blij dat ik haar heb… Ze stimuleert me, ze duwt me naar voren, ze dwingt me in beweging te blijven. Zonder haar zat ik nog tussen mijn krommes en mijn vergelijkingen, heus. Zonder haar zat ik op een zolderkamertje te blokken op kwantummechanica.'

Hij zweeg.

'En bovendien heeft ze me twee prachtige geschenken bezorgd…'

Zodra we het tolhokje voorbij waren, sloot ik de muziek op de autoradio aan.

Goed, jochie… Wat heb je daar voor ons uitgebroed?

Argeloos glimlachen. Simon trok aan zijn gordel om plaats te maken voor de muzikanten, Lola liet haar leuning zakken, en ik maakte van die gelegenheid gebruik om me tegen haar schouder aan te vlijen.

Marvin als Monsieur Loyal: *Here my Dear… This album is dedicated to you…* Een ongebreidelde versie van 'Pata Pata' van Miriam Makeba om onze gewrichten los te maken, 'Hungry Heart' van The Boss omdat dat vijftien jaar terug onze kont in beweging bracht, en verderop op de lijst 'The River' om het hongerige hart te voeden. 'Beat It' van Bambi zaliger om in volle vaart tussen de witte strepen te slalommen, 'Friday I'm in Love' van The Cure om – sorry, ik zet het geluid zachter – dit mooie weekend te eren, de 'Common People' beschreven door Pulp, en die hadden ons meer Engels geleerd dan al onze leraren bij elkaar. Boby Lapointe treurde *je bent mooier dan ooit… alleen niet je hart. Je hart heeft niet meer de warmte waarvan ik hield…* Zijn moeder van de vissen en die van Eddy Mitchell, *mama, binnenkort word ik veertien… Ik beloof je, ik zal volop geld verdienen…* Een sublieme versie van 'I Will Survive' door Musica Nuda en een nieuwe, heel maffe versie van 'My Funny Valentine' door Angela McCluskey. Van dezelfde een 'Don't Explain' waarmee je de meest opdringerige rokkenjager nog aan het janken krijgt… Christophe in zijn satijnen gilet, *c'était la dolce vita…* De viool van Yo-Yo Ma voor Ennio Morricone en diens jezuïeten, Voulzy die vertrekt uit Grimaud en Dylan die eindeloos *I want you* herhaalt tegen twee zusters die praktisch maagd zijn. *Zaza, je stinkt*

maar toch houd ik van jou… wat ik om te laten ont-
ploffen op de schoot van Thomas Fersen heb gelegd… en ook zijn tas… *Laten we gaan waarheen
het lot ons leidt, Germaine, laten we gaan waarheen
we willen*… *Love me or leave me*, smeekt Nina Si-
mone terwijl ik Lola erop betrap dat ze aan haar
neus krabt… Nounou… Vincent ziet zijn zus niet
graag triest en om haar weer op te beuren zorgt hij
voor evenwicht met de fluitjes van Goldman… *Zo
werkt de liefde en niemand kan er wat aan doen*…
Montand ter herinnering aan Paulette en Bashung
ter herinnering aan Bashung… *De meid lijdt heel
de tijd*… 'La Mariée' van Patachou, en 'Le Petit Bal
perdu' van de zogenaamd argeloze Björk, die brult
dat het te kalm is, het 'Nisi Dominus' van Vivaldi
om Camille een plezier te doen en het lied van Neil
Hannon waarvan Mathilde zo houdt. Kathleen
Ferrier vanwege Mahler, Glenn Gould vanwege
Bach en Rostro vanwege de vrede. Het lieflijke lied
van Henri Salvador, onze moeder zong het ook, en
terwijl we ernaar luisterden vielen we duimzui-
gend in slaap. Dalida, *il venait d'avoil dix-houit ans,
il était bôôô comme un enfant*… De muziek van *Pas
sur la bouche*, de film die me het leven heeft gered
op een moment dat ik niet meer wilde. Een pagi-
naatje weerbericht, over de regen op Nantes van
Barbara, Luis Mariano jodelt zijn zon van Mexico,
Pyeng Threadgill herhaalt 'Close to Me' en ik houd
me voor dat het precies klopt, schatjes van me…

De elegantie van Cole Porter, gesublimeerd door die van Ella Fitzgerald, en Cyndi Lauper voor het contrast. *Oh daddy! De meisjes just wanna to have fun!* brul ik en schudt mijn hond heen en weer, als een pom-pomgirlsgeval terwijl al zijn vlooien de macarena dansen…

En nog een heleboel meer… Een heleboel megabytes geluk.

Knipogen, herinneringen, mislukte slowfoxen als herinnering aan bedorven avonden, *miousic wâse maille feurst love* (for connoisseurs only), klezmer, Motown, dansmuziek, gregoriaans, fanfare of orgel, en plotseling, terwijl de auto pimpelde en de pomp de kluts kwijt was, kwamen Ferré en Aragon zich verbazen: *Leven de mensen zo?*

Hoe meer titels voorbijtrokken, hoe meer moeite ik had mijn tranen te bedwingen. Oké, herhaalde ik, ik was moe, maar ik voelde de brok die almaar groeide in mijn keel.

Dit waren te veel emoties in één keer. Mijn Simon, mijn Lola, mijn Vincent, mijn Kallucineer op mijn schoot, en al die muziek die me al zo lang hielp te leven…

Ik moest mijn neus snuiten.

Toen het apparaat zweeg, dacht ik dat het beter zou gaan, maar die rotzak van een Vincent begon via de speakers te praten: 'Dat was het. Het is voorbij,

G'rance van me. Ik hoop maar dat ik niets ben vergeten… Wacht even, ja, een laatste voor onderweg…'

Het was de reprise van 'Hallelujah' van Leonard Cohen door Jeff Buckley.

Bij de eerste noten van de gitaar moest ik me verbijten en ik staarde naar het daklampje om mijn tranen te onderdrukken.

Simon draaide aan de achteruitkijkspiegel om mij in beeld te krijgen: 'Gaat het wel? Heb je verdriet?'

'Nee,' antwoordde ik terwijl ik overal barstte, 'ik ben su… supergelukkig.'

Het laatste stuk van de weg hebben we niet één woord gewisseld. Om de film terug te spoelen en over morgen na te denken.

Het speelkwartier is voorbij. De bel gaat zo. Twee aan twee in de rij.

Stil zijn alsjeblieft.

Stil, zei ik!

We zetten Lola bij de Porte d'Orléans af en Simon bracht mij tot de voordeur.

Toen hij wilde vertrekken, legde ik mijn hand op zijn arm: 'Wacht, geef me twee minuten…'

Ik ben naar mijnheer Rachid gerend.

'Je moet verdorie je boodschappen niet vergeten…' zei ik hem en overhandigde hem een pak rijst.

Hij glimlachte.

Hij hield zijn arm lang opgeheven en toen hij om de hoek van de straat was verdwenen, ben ik naar mijn favoriete kruidenier teruggegaan om brokken en een blik Canigou te kopen.

'Garance, ik je waarschuwen, als je hond nog een keer op mijn aubergines pissen, ik hem ook epileren!'